CB017947

O HOMEM QUE CALCULAVA

Malba Tahan

O HOMEM QUE CALCULAVA

102ª Edição

Edição Comemorativa

2025

CIP-BRASIL. CATALOGAÇÃO NA PUBLICAÇÃO
SINDICATO NACIONAL DOS EDITORES DE LIVROS, RJ

T136h
102. ed.

Tahan, Malba, 1895-1974
O homem que calculava / Malba Tahan. - 102. ed. - Rio de Janeiro: Record, 2025.

"Edição comemorativa"
ISBN 978-65-5587-339-9

1. Ficção brasileira. I. Título.

CDD: 869.3
CDU: 82-3(81)

21-71972

Meri Gleice Rodrigues de Souza - Bibliotecária - CRB-7/6439

Projeto gráfico de capa e miolo: Túlio Cerquize

Texto revisado segundo o novo Acordo Ortográfico da Língua Portuguesa.

EDITORA RECORD LTDA.
Rua Argentina, 171 — 20921-380 – Rio de Janeiro, RJ — Tel.: (21) 2585-2000

Impresso no Brasil

ISBN 78-65-5587-339-9

Atendimento ...da direta ao leitor:
sac@record.co...

Dedicatória

À memória dos sete grandes geômetras cristãos ou agnósticos:

Descartes, Pascal, Newton, Leibnitz, Euler, Lagrange, Comte,

(Alá se compadeça desses infiéis!)

e à memória do inesquecível matemático, astrônomo e filósofo muçulmano

Buchafar Mohamed Abenmusa Al-Kharismi

(Alá o tenha em sua glória!)

e também a todos os que estudam, ensinam ou admiram a prodigiosa ciência das grandezas, das formas, dos números, das medidas, das funções, dos movimentos e das forças

eu, el-hadj xerife

Ali Iezid Izz-Edim Ibn Salim Hank Malba Tahan

(Crente de Alá e de seu santo profeta Maomé),

dedico esta desvaliosa página de lenda e fantasia.

De Bagdá, 19 da Lua de Ramadã de 1321

Sumário

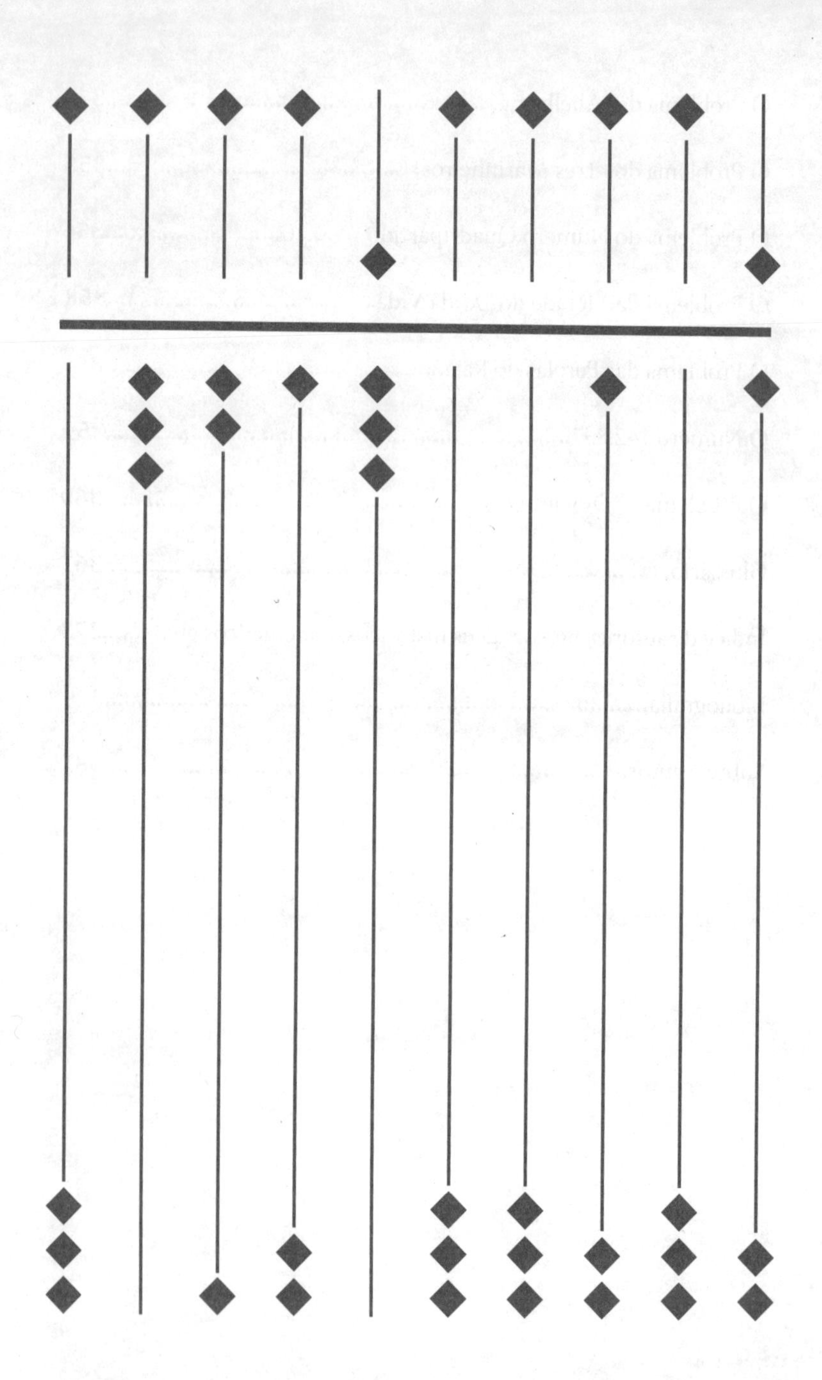

Prefácio

Malba Tahan, ou como produzir um arabismo para jovens

O súbito nascimento de Malba Tahan — quem diria! — é fruto de um processo desencadeado por alguns contos esquecidos sob um peso de chumbo na mesa do secretário de redação do jornal *O Imparcial*, Leônidas de Rezende, por volta de 1918. É isso, pelo menos, o que o próprio Júlio César de Mello e Souza transmitiu à posteridade. Ao notar que o conto adormeceria na mesa do editor *per omnia saecula saeculorum*, Júlio César o retirou sub-repticiamente dali, reapresentando-o alguns dias depois, sob uma nova autoria: o inexistente escritor americano R. S. Slady.

Foi só então que o editor leu os contos e gostou. Gostou tanto que os publicou na primeira página do jornal, em destaque. Essa foi a deixa para o surgimento, alguns anos mais tarde, do escritor árabe Ali Iezid Izz-Edim Ibn Salim Hank Malba Tahan, nascido em 1885 na própria península arábica, nas cercanias da cidade de Meca, santa para os muçulmanos e berço do profeta Muhammad, que os gentios — Deus lhes tenha piedade! — chamam de Maomé. O escritor fictício teria morrido em 1921, em combate, após uma vida venturosa e repleta de viagens. E, em 1938, postumamente, publicou-se em português o seu mais importante trabalho, *O homem que calculava*. Estamos, sem dúvida, diante da mais genial e bem lograda invenção do engenheiro civil e professor de matemática Júlio César, e a qual, ademais, acabaria por se fundir e de certa forma se sobrepor ao seu criador.

Aliás, extraordinário destino o do professor Júlio César e de seu suposto *alter ego* Malba Tahan! Talvez estejamos diante de um caso singular na história das letras: o da criatura que, sobrepondo-se ao criador, impõe-lhe o seu nome. Júlio César recebeu autorização especial da Presidência da República, na pessoa de Getúlio Vargas, para carregar, em seu registro de identidade, o nome de Malba Tahan além do seu próprio.

Numa entrevista concedida anos após o estrondoso êxito alcançado por *O homem que calculava*, o autor declarou que a decisão de inventar um autor árabe fora inteiramente aleatória, e que, antes disso, o Oriente Médio e o Mundo Árabe jamais haviam feito parte de suas cogitações intelectuais. A entrevista está aí, divulgada para quem a quiser ler, mas... Sim, podemos supor que se trata de mais uma *boutade* do eminente matemático. Uma revelação *pour épater le bourgeois*, uma vez que, no final das contas, acaba por introduzir a própria decisão de inventar Malba Tahan no terreno do fantástico e do maravilhoso, facetas que ele admirava na antiga arte narrativa dos árabes. Como não nutrir tal suspeita? Uma decisão apressada, impensada, que resulta, sem mais nem menos, num grande sucesso, como que num golpe de sorte do destino, ou, para utilizar uma terminologia comum nas *Mil e uma noites*, "uma espantosa coincidência".

Falando a respeito do "jogo de identidades" no "tabuleiro de jogo" do romance *Aziyadé*, de Pierre Loti, Barthes observa que "Loti está *dentro* do romance (...) mas está fora dele também, pois o Loti que escreveu o livro não coincide de modo algum com o herói Loti". Embora estejamos obviamente diante de outra estrutura e contexto, a afirmação pode fornecer alguns elementos para compreender o envolvente modo de enunciação de *O homem que calculava*. Em princípio, o professor

Júlio César não estava no romance, mas, ao pleitear e alcançar o direito de adotar, em sua documentação pessoal, o nome Malba Tahan, ele se introduz, *a posteriori*, no romance, tornando-o o seu duplo. Assim, como o narrador Malba Tahan se transformou também em Júlio César, o autor Júlio César viu-se premido a criar, mais tarde, em 1965, a personagem do tradutor e anotador Breno Alencar Bianco, um nome cujas letras iniciais, BAB, significam "porta" em árabe. Para além de consistir num mero código cifrado, BAB é a porta de explicação às questões e enigmas propostos pelos personagens de Malba Tahan, mas, igualmente, a porta de entrada para a absorção de Júlio César de Mello e Souza num universo que, noves fora a abstração matemática, só pode existir sob a batuta de Malba Tahan.

Seria mais apropriado colocar o seu trabalho em perspectiva. No âmbito das letras por assim dizer ocidentais, lançar mão de um narrador árabe ou muçulmano não é exatamente um recurso original, e talvez seu pioneiro mais célebre seja o historiador árabe Cide Hamete Benengeli, que Cervantes transformou numa espécie de coautor de *Dom Quixote*, atribuindo a tradução a um mouro andaluz anônimo cujo trabalho foi pago com um punhado de uvas-passas. Também Montesquieu, nas *Cartas persas*, inventou personagens persas para, por meio do distanciamento proporcionado pelo enfoque "exótico", fazer a crítica da sociedade francesa. Alguns lustros mais tarde, seria imitado, é certo que com menos agudez e engenho, pelo espanhol José Cadalso nas *Cartas marroquinas*. No Brasil, o recurso foi utilizado pela imprensa satírica e humorística ao longo de quase todo o período imperial. Tampouco devemos esquecer Lima Barreto, que em seus satíricos *Contos argelinos*, de 1920, ensaiou criar um narrador oriental, sem chegar, no entanto, a explicitá-lo. Enfim, bastem esses entre os inúmeros exemplos citáveis.

Seja como for, o fato é que a cultura árabe e muçulmana não gozava grande apreço entre a intelectualidade brasileira na primeira metade do século XX. Havia, como em certo sentido ainda há, uma visível má vontade, que ia da indiferença à hostilidade. Essa postura tem origens difusas, que vão desde a má relação histórica da cultura portuguesa com o passado islâmico na península ibérica até a postura excludente e preconceituosa das classes dominantes brasileiras, dominadas por obsessões europeístas e americanistas que também significavam, entre outras coisas, a exclusão de tudo quanto fugisse ao cânone cultural imposto por tais obsessões. Embora no já clássico *Casa grande & senzala*, cuja primeira edição é de 1933, o grande sociólogo Gilberto Freyre operasse uma valorização ambígua da herança árabe-muçulmana na cultura portuguesa — e por extensão, brasileira —, mencionando, por exemplo, a "mística sensual do islamismo", que teria "solapado" o caráter europeu dos portugueses, o fato é que predominava, nas classes dominantes e intelectuais brasileiras, essa indisfarçável má vontade para com tudo quanto se referisse ao Oriente Médio.

Mário de Andrade e Oswald de Andrade, nomes proeminentes do movimento modernista de 1922, talvez constituam exemplos ilustrativos, justamente pelas diferenças que guardam entre si. Mário, em 1926, publicou um volume de contos — *Primeiro andar* — do qual podemos destacar, para o nosso propósito, o último deles, intitulado "Os sírios". A narrativa se concentra num casal sírio, que é pintado com as cores mais sórdidas e racistas, lançando mão dos estereótipos da mesquinharia e da avareza. Trata-se, em verdade, de uma peça constrangedoramente ruim, rasa, de má qualidade literária. *Primeiro andar* integra, junto com *Há uma gota de sangue em cada poema* e *A escrava que não é Isaura*, a chamada "obra imatura" de Mário de Andrade. No seu "exemplar de trabalho", o escritor registrou uma observação restritiva ao conto "Briga das pastoras" — "conto muito fraco [...] não se publica" —, mas não a "Os sírios", cujo texto ele valorizava, a ponto de o incorporar ao romance *Café*, que ele não chegou a concluir. No romance, o personagem masculino, Nedim, ganha maior densidade psicológica, mas continua a ser, do ponto de vista de sua atividade comercial como mascate, "mais nocivo que útil", reciclando um bordão que até bem pouco tempo espezinhava os descendentes de árabes no Brasil. Não se trata, note bem, de uma fala aleatória ou inocente: o preconceito cruamente externado por Mário de Andrade (que, tanto por sua função social como por sua vida privada, deveria ser muito mais prevenido no tocante a preconceitos) alimentou ressentimentos e foi fonte de não pouca perseguição e incompreensão.

Oswald de Andrade, como se sabe, era um homem que fez do deboche um modo de ser, a ponto de, no final da vida, ter-se comparado, com algum laivo de lamúria, ao personagem do conto "O engraçado arrependido", de Monteiro Lobato. Pois bem, na década de 1950 ele se desentendeu com o casal de escritores Helena Silveira e Jamil Almansur Haddad, e, dirigindo as suas baterias contra este último, não achou modo melhor de desancá-lo que não fosse por suas origens étnicas — "único turco pobre de São Paulo", "ensaísta turco". Oswald, grande escritor, certamente não era racista. Mas o simples fato de, num desentendimento mais acalorado, ter recorrido quase espontaneamente à desqualificação racial é um bom termômetro da disposição de ânimos entre a intelectualidade brasileira a respeito dos árabes enquanto etnia "exótica" e de algum modo deslocada, invasora, ocupando um espaço que não deveria ser seu.

O caso do próprio escritor Jamil Almansur Haddad nas letras brasileiras é também deveras instrutivo para o que estamos expondo. Haddad, poeta, tradutor e ensaísta de reconhecida qualidade, estudioso do movimento romântico no Brasil, candidatou-se em 1945 a uma cadeira como professor de Literatura Brasileira na Universidade de São Paulo. Não foi o escolhido. Entre os concorrentes, estavam nomes como o de Antônio Cândido e Oswald de Andrade, que tampouco foram escolhidos. Mas certamente nenhum deles ouviu, da banca examinadora, nada parecido com o que ouviu Haddad: questionando-o por ter feito um estudo — ainda hoje importante — sobre o poeta romântico e abolicionista Castro Alves, um dos examinadores perguntou-lhe o motivo pelo qual, tendo "essa origem alienígena", ele se interessara por "um poeta tão brasileiro". E o aprovado pela tal banca acabou sendo um gramático de cujos trabalhos literários a academia não guarda memória alguma.

Esses curtos relatos, que poderiam ser facilmente multiplicados, não têm outra pretensão que não seja a de demonstrar o que pode ter representado, tanto para ele mesmo como para a recepção e mudança de estatuto da cultura árabe no Brasil, o trabalho estupendo do professor Júlio César de Mello e Souza.

Homem ligado ao magistério, apaixonado pelo ensino, é bem significativo que o professor Júlio César tenha investido tão amorosamente na cultura árabe para vestir o objeto principal de suas preocupações, qual seja, a matemática e sua difusão. O princípio que o norteava, o de que esse ensino não deveria estar desvinculado da realidade, e que, em suma, deveria ter sabor e dar prazer, ele o traduziu na prática transportando-o para uma narrativa que podemos, sem medo, chamar de romanesca. E a essa narrativa ele resolveu dar vestimentas caracteristicamente orientalistas, ou, caso se prefira, islâmicas.

Para tanto, além do autor Malba Tahan, criou personagens com nomes árabes e persas e situou-os no contexto geográfico e histórico do califado abássida, que governou o mundo muçulmano de meados do século VIII a meados do século XIII. A maior parte da história, como sabemos, desenrola-se na cidade de Bagdá, capital desse império, e nos desertos adjacentes.

Tendo em vista a situação antes explicitada, de maneira bem concisa, a respeito do escasso prestígio da cultura árabe e islâmica de então no Brasil — na literatura, ela era sobretudo um referencial satírico, e, consequentemente, baixo —, não deixou de ser uma opção arrojada, em especial quando se pensa que o propósito do autor era, em primeiríssimo plano, didático, e que a escolha de semelhante cenário "exótico" poderia provocar alguma rejeição nos docentes (ou mesmo nos alunos) e conduzir ao fracasso do projeto.

Distanciando-se do modo simples da "adivinha", conforme a terminologia proposta pelo crítico alemão André Jolles no seu célebre estudo sobre as *Formas simples*, o professor Júlio César optou por integrar os problemas matemáticos continuamente propostos no decorrer do livro à própria estrutura narrativa. Assim, no cenário mesopotâmico por ele constituído, o movimento dos personagens é determinado pela própria sucessividade das questões, as quais por seu turno se integram harmonicamente, tanto no modo de exposição como na construção do problema em si, ao quadro onde estão inseridas.

Basicamente, estamos diante de personagens verossimilmente caracterizados — seja por seus nomes, seja pela maneira como procedem e articulam seus discursos, seja pelos cenários em que atuam — como orientais e muçulmanos. É evidente que tal caracterização obedece a um processo de mimese em que, forçosamente, são empregados diversos estereótipos consagrados pelo tempo e por certa tradição cultural proveniente das letras francesas. E assim misturam-se nomes de personagens puramente fictícios, como Beremiz, matemático e herói da narrativa, Hank, o narrador, aos de outros de comprovada existência histórica, como é caso de "Al-Motacém" (Al-Musʿtasim), trigésimo sétimo califa da dinastia abássida, que governou em Bagdá entre os anos de 1242 e 1258 da Era Cristã. Nos cenários frequentados pelos personagens principais circulam dervixes, vizires, mercadores, xeiques, poetas, camelos e dromedários.

Mas essa fugaz referência à factualidade histórica na figura do califa ao qual se dá o nome de "Al-Motacém" é, claro, meramente convencional. Aliás, na tradução árabe da obra, o editor percebeu que, na verdade, o califa em questão só poderia ser o supracitado Al-Mustaʿsim, morto em 1258 pelos invasores mongóis que devastaram a cidade e o império, e não Al-Muʿtasim, ou "Al-Motacém", o oitavo governante da dinastia abássida (796-842 d.C.), que era antes de tudo um soldado, um guerreiro, dotado de grande valentia e força física, mas nimiamente ignorante, desinteressado de questões culturais, e praticamente analfabeto. Aliás, essa tradução árabe, publicada em Beirute em 2006 e com certeza feita a partir do título deste livro tal como publicado em Portugal (pois em árabe seu título é *História do homem capaz de fazer cálculos*, seguida da caracterização "conjunto de aventuras matemáticas"), foi apresentada com grandes encômios, e caracterizada como "uma história extraordinária em vários aspectos, não apenas por seu tema delicioso e sua viagem pela ciência matemática de um modo muito agradável, tampouco pelas novas informações que traz em seu quadro narrativo, jamais alcançado pelo tédio, mas por outro motivo muito importante: o teatro onde se dão tais ocorrências é Bagdá, nos últimos dias do califado abássida (...)".

Conforme se ressaltou, a construção do cenário de *O homem que calculava* obedece a determinadas convenções, ficcionais e mesmo não ficcionais, estabelecidas nas letras ocidentais, e mais particularmente as francesas, a respeito do Oriente árabe e muçulmano. E assim, conforme também já se destacou, nos vemos perante oásis, camelos, mamelucos, vizires, bazares apinhados e as demais caracterizações familiares aos leitores de literatura orientalizante. Tampouco falta ao cenário a extraordinária diversidade cultural, étnica e religiosa da Bagdá de então, com o intenso desfile de forasteiros vindos de todo quadrante. O uso da convenção é igualmente verificável na maneira pela qual os personagens se expressam, a existência de certos cacoetes e bordões caracteristicamente "árabes", a exposição, os propósitos manifestados, enfim, esses elementos evidenciam que o autor estudou o assunto com um cuidado que foi muito além das obras elencadas ao final, na bibliografia, cuidado esse que não é empanado por certas imprecisões existentes na transcrição de nomes e palavras árabes, na verdade bem insignificantes dentro do escopo geral da obra, e talvez devidas a alguma distração do consultor Ragy Basile.

Porém, mais importante é o fato de que o professor Júlio César logo se deu conta do que é efetivamente importante para assegurar a qualidade do seu trabalho: o efeito de verossimilhança, que, sem dúvida, é tudo. Decerto conduzido por seus estudos a respeito de história da ciência, ele inevitavelmente deparou com referências à importância dos estudiosos árabes e muçulmanos em geral no desenvolvimento da ciência e da matemática, entre muitas outras áreas, e resolveu, a partir da distância proporcionada por tal enquadramento, unir as duas possibilidades, quais sejam, um trabalho didático, ou paradidático, a respeito da matemática, envolvido num "quadro-moldura" arabizante.

Entretanto, na qualidade de "testemunha do universal" (e não na de "consciência infeliz", segundo as formulações de Roland Barthes), o escritor Júlio César de Mello e Souza opta pelo que o mesmo Barthes propõe como "texto de prazer", "que contenta, enche, dá euforia; aquele que vem da cultura, não rompe com ela, está ligado a uma prática confortável de leitura", afastando, embora não totalmente, o "texto de fruição", "que coloca em situação de perda, aquele que desconforta (...), faz vacilar as bases históricas, culturais, psicológicas do leitor, a consistência de seus gostos, dos seus valores, das suas recordações".

O encaixe entre as lições de matemática e os eventos dramatizados é muitíssimo bem logrado, possibilitando entrever, em primeiro plano, o leitor das traduções francesas das *Mil e uma noites*, é certo que um pouco mais do curioso autodidata Antoine Galland e um pouco menos do dr. Joseph-Charles Mardrus. É fora de dúvida que há inúmeras formas de mimetizar o processo narrativo celebrizado pelas referidas traduções, o que se evidencia na também excelente obra do lógico e matemático estadunidense Raymond Smullyan (1919-2017), que em 1997 escreveu *O enigma de Sherazade*, talvez inspirado em *O homem que calculava*, que já foi traduzido ao inglês. O drama do livro de Smullyan se desenrola num quadro espacial estático, e se limita à enunciação esquemática de perguntas e respostas, elaboradas, é verdade, com vivacidade e recheadas de observações divertidas. Em termos de encantamento e sedução, porém, fica muito atrás de *O homem que calculava*; sucintamente, em *O enigma de Sherazade* é o leitor que deve desejar a matemática e os enigmas, ao passo que em *O homem que calculava* é o texto que deseja o aprendizado do leitor. Diferença sutil, mas decisiva, que faz dos personagens de Smullyan mero pretexto para a ciência, a cujo serviço se encontram; já em Júlio César é a ciência que está a serviço dos personagens, transformando-se no instrumento que permite aquilo que é chamado, inclusive na linha da análise estrutural, de "recompensa", no caso, a ascensão social e a realização amorosa do protagonista.

Toda a obra ficcional de Júlio César de Mello e Souza transpira admiração e respeito pela civilização construída com base no islã, e sua contribuição é muito importante para a sedimentação, sobretudo entre os jovens, de uma imagem extremamente positiva desse mundo e de suas realizações nos mais diversos campos do saber humano, que constituem um contributo valioso para o desenvolvimento da própria civilização universal. Essa contribuição se torna mais despojada, no melhor sentido do termo, quando se nota que, longe de se tratar de um "cripto-muçulmano" ou agnóstico, o autor era um homem profundamente conservador e católico. E é justamente nesse ponto que, ao menos em *O homem que calculava*, ocorre uma espécie de inflexão. Em 1255, três anos antes da queda de Bagdá nas mãos das hordas mongóis comandadas por Hulagu, neto de Gengis Khan, o narrador Hank nos informa que se mudara para Constantinopla, seguindo os passos do calculista Beremiz, o herói da história, e de sua mulher, Telassim. Somos informados de que ela "já era cristã", e convencera o marido a também se converter ao cristianismo, a única religião sob cuja sombra, segundo ele próprio afirma, pode existir "a verdadeira felicidade".

Essa inflexão nos autoriza a avançar duas hipóteses: a primeira, que Júlio César de Mello e Souza era leitor, entre outros, do escritor italiano Emilio Salgari (1862-1911), pois esse final parece emular o final do romance *Capitan Tempesta*, de 1905, no qual o herói, um turco muçulmano, foge com sua amada cristã para Constantinopla, onde também decide renegar o islã e converter-se ao cristianismo. A segunda, e talvez a mais interessante, é que o *alter ego* do autor não é exatamente Malba Tahan, mas sim, claramente, o calculista persa Beremiz Samir. Embora a observação não seja necessariamente surpreendente, suas implicações o são: para narrar a si mesmo, para externar o seu amor pela matemática e por seu ensino, o professor Júlio César preferiu criar não um, mais dois árabes: o "autor" Malba Tahan e o narrador Hank. Seguindo essa linha de raciocínio, mais do que sua outra personalidade, Malba Tahan foi o autêntico criador do professor Júlio César de Mello e Souza. A "fruição", ou a situação de desconforto aludida por Barthes, foi dele, e o modo de desvencilhar-se de tal desconforto foi a conversão de Beremiz Samir.

Como palavras finais, deve-se acrescentar que hoje, quando se presencia o florescimento de um legítimo arabismo no Brasil, não é justo olvidar, de modo algum, a notável contribuição que, direta ou indiretamente, as obras de Júlio César de Mello e Souza deram para esse processo.

MAMEDE MUSTAFA JAROUCHE

Ao Leitor

As notas do próprio Malba Tahan estão assinaladas entre parênteses. As notas sem assinatura são da autoria do tradutor.

Para atender ao pedido de muitos leitores e tendo em vista a dupla finalidade deste livro — educativo e cultural — resolvemos incluir, na parte final, um Apêndice.

No Apêndice encontrarão os interessados esclarecimentos sucintos, dados históricos, indicações bibliográficas etc., sobre os principais problemas e curiosidades que figuram no enredo desta originalíssima novela.

No Glossário, oferecemos aos leitores e pesquisadores as significações de certas palavras (árabes ou persas), frases, alegorias, fórmulas religiosas etc., citadas nos diversos capítulos, e que não foram devidamente esclarecidas nas pequenas notas ao pé das páginas. Para as palavras já esclarecidas, o Glossário indica apenas o capítulo e o número da nota em que o sentido da palavra é devidamente elucidado.

O Glossário é seguido de um pequeno índice de autores citados e de uma bibliografia.

Todas as notas que formam o Apêndice são da autoria do tradutor. Os verbetes que figuram no Glossário e no índice de autores foram cuidadosamente revistos pelo ilustre filólogo Prof. Ragy Basile.

A singular Dedicatória deste livro encerra uma página de alto sentido moral e religioso.

Convém ler, sobre essa Dedicatória, a nota inicial do Apêndice.

Breno Alencar Bianco
São Paulo, 1965

1

No qual encontro, durante uma excursão, singular viajante. Que fazia o viajante e quais as palavras que ele pronunciava.

Em nome de Alá, Clemente e Misericordioso![1]

Voltava eu, certa vez, ao passo lento do meu camelo, pela Estrada de Bagdá, de uma excursão à famosa cidade de Samarra, nas margens do Tigre, quando avistei, sentado numa pedra, um viajante, modestamente vestido, que parecia repousar das fadigas de alguma viagem.

Dispunha-me a dirigir ao desconhecido o salã[2] trivial dos caminhantes quando, com grande surpresa, o vi levantar-se e pronunciar vagarosamente:

— Um milhão, quatrocentos e vinte e três mil, setecentos e quarenta e cinco!

Sentou-se em seguida e quedou em silêncio, a cabeça apoiada nas mãos, como se estivesse absorto em profunda meditação.

Parei a pequena distância e pus-me a observá-lo, como faria diante de um monumento histórico dos tempos lendários.

Momentos depois o homem levantou-se novamente e, com voz clara e pausada, enunciou outro número igualmente fabuloso:

— Dois milhões, trezentos e vinte e um mil, oitocentos e sessenta e seis!

E assim, várias vezes, o esquisito viajante pôs-se de pé, disse em voz alta um número de vários milhões, sentando-se, em seguida, na pedra tosca do caminho.

Sem poder refrear a curiosidade que me espicaçava, aproximei-me do desconhecido e, depois de saudá-lo em nome de Alá (com Ele a oração e a glória),[3] perguntei-lhe a significação daqueles

1. O árabe muçulmano não inicia uma obra literária, ou uma simples narrativa, sem fazer essa evocação respeitosa ao nome de Deus. Vale por uma prece.

2. Saudação. Ver Glossário.

3. Os árabes designam o Criador por quatrocentos e noventa e nove nomes diferentes. Os muçulmanos, sempre que pronunciam o nome de Deus, acrescentam-lhe uma expressão de alto respeito e adoração. O Deus dos muçulmanos é o mesmo Deus dos cristãos. Os muçulmanos são rigorosamente monoteístas.

números que só poderiam figurar em gigantescas proporções.

— Forasteiro — respondeu o Homem que Calculava —, não censuro a curiosidade que te levou a perturbar a marcha de meus cálculos e a serenidade de meus pensamentos. E já que soubeste ser delicado no falar e no pedir, vou atender ao teu desejo. Para tanto preciso, porém, contar-te a história de minha vida!

E narrou o seguinte:

2

Neste capítulo Beremiz Samir, o Homem que Calculava, conta a história de sua vida. Como fiquei informado dos cálculos prodigiosos que realizava e por que nos tornamos companheiros de jornada.

Chamo-me Beremiz Samir e nasci na pequenina aldeia de Khói, na Pérsia, à sombra da pirâmide imensa formada pelo Ararat. Muito moço ainda, empreguei-me, como pastor, a serviço de um rico senhor de Khamat.[1]

Todos os dias, ao nascer do sol, levava para o campo o grande rebanho e era obrigado a trazê-lo ao abrigo antes de cair a noite. Com receio de perder alguma ovelha tresmalhada e ser, por tal negligência, severamente castigado, contava-as várias vezes durante o dia.

Fui, assim, adquirindo, pouco a pouco, tal habilidade em contar que, por vezes, num relance calculava sem erro o rebanho inteiro. Não contente com isso passei a exercitar-me contando os pássaros quando, em bandos, voavam, pelo céu afora. Tornei-me habilíssimo nessa arte.

Ao fim de alguns meses — graças a novos e constantes exercícios — contando formigas e outros pequeninos insetos, cheguei a praticar a proeza incrível de contar todas as abelhas de um enxame! Essa façanha de calculista, porém, nada viria a valer, diante das muitas outras que mais tarde pratiquei! O meu generoso amo possuía, em dois ou três oásis distantes, grandes plantações de tâmaras e, informado das minhas habilidades matemáticas, encarregou-me de dirigir a venda de seus frutos, por mim contados nos cachos, um a um. Trabalhei, assim, ao pé das tamareiras, cerca de dez anos. Contente com os lucros que obteve, o meu bondoso patrão acaba de conceder-me quatro meses de repouso e vou, agora, a Bagdá, pois tenho desejo de visitar alguns parentes e admirar as belas mesquitas e os suntuosos palácios

1. Khamat de Maru, cidade situada na base do Monte Ararat. Khói fica no vale desse mesmo nome e é banhada pelas águas que descem das montanhas de Salmas. (Nota de Malba Tahan.)

da cidade famosa. E para não perder tempo, exercito-me durante a viagem, contando as árvores que ensombram esta região, as flores que a perfumam, os pássaros que voam, no céu, entre nuvens.

E, apontando para uma velha e grande figueira que se erguia a pequena distância, prosseguiu:

— Aquela árvore, por exemplo, tem duzentos e oitenta e quatro ramos. Sabendo-se que cada ramo tem, em média, trezentas e quarenta e sete folhas, é fácil concluir que aquela árvore tem um total de noventa e oito mil, quinhentas e quarenta e oito folhas! Estará certo, meu amigo?[2]

— Que maravilha! — exclamei atônito. — É inacreditável possa um homem contar, em rápido volver d'olhos, todos os galhos de uma árvore e as flores de um jardim! Tal habilidade pode proporcionar, a qualquer pessoa, seguro meio de ganhar riquezas invejáveis!

— Como assim? — estranhou Beremiz. — Jamais me passou pela ideia que se pudesse ganhar dinheiro, contando aos milhões folhas de árvores e enxames de abelhas! Quem poderá interessar-se pelo total de ramos de uma árvore ou pelo número do passaredo que cruza o céu durante o dia?

— A vossa admirável habilidade — expliquei — pode ser empregada em vinte mil casos diferentes. Numa grande capital, como Constantinopla, ou mesmo Bagdá, sereis auxiliar precioso para o governo. Podereis calcular populações, exércitos e rebanhos. Fácil vos será avaliar os recursos do país, o valor das colheitas, os impostos, as mercadorias e todos os recursos do Estado. Asseguro-vos — pelas relações que mantenho, pois sou bagdali[3] — que não vos será difícil obter lugar de destaque

2. Ver Apêndice: Calculistas famosos.

3. Bagdali, indivíduo natural de Bagdá.

junto ao glorioso califa Al-Motacém (nosso amo e senhor). Podeis, talvez, exercer o cargo de vizir-tesoureiro ou desempenhar as funções de secretário da Fazenda muçulmana![4]

— Se assim é, ó jovem — respondeu o calculista —, não hesito. Vou contigo para Bagdá.

E sem mais preâmbulos, acomodou-se como pôde em cima do meu camelo (único que possuíamos), e pusemo-nos a caminhar pela larga estrada em direção à gloriosa cidade.

E daí em diante, ligados por este encontro casual em meio da estrada agreste, tornamo-nos companheiros e amigos inseparáveis.

Beremiz era de gênio alegre e comunicativo. Muito moço ainda — pois não completara vinte e seis anos —, era dotado de inteligência extremamente viva e notável aptidão para a ciência dos números.

Formulava, às vezes, sobre os acontecimentos mais banais da vida, comparações inesperadas que denotavam grande agudeza de espírito e raro talento matemático. Sabia, também, contar histórias e narrar episódios que muito ilustravam suas palestras, já de si atraentes e curiosas.

Às vezes punha-se várias horas, em silêncio, num silêncio maníaco, a meditar sobre cálculos prodigiosos. Nessas ocasiões esforçava-me por não o perturbar. Deixava-o sossegado, a fim de que ele pudesse fazer, com os recursos de sua memória privilegiada, descobertas retumbantes nos misteriosos arcanos da Matemática, a ciência que os árabes tanto cultivaram e engrandeceram.[5]

4. Califado, conselho de ministros do rei.

5. Ver Apêndice: Os Árabes e a Matemática.

3

Onde é narrada a singular aventura dos 35 camelos que deviam ser repartidos por três árabes. Beremiz Samir efetua uma divisão que parecia impossível, contentando plenamente os três querelantes. O lucro inesperado que obtivemos com a transação.

Poucas horas havia que viajávamos sem interrupção, quando nos ocorreu uma aventura digna de registro, na qual meu companheiro Beremiz, com grande talento, pôs em prática as suas habilidades de exímio algebrista.

Encontramos, perto de um antigo caravançará[1] meio abandonado, três homens que discutiam acaloradamente ao pé de um lote de camelos.

Por entre pragas e impropérios gritavam possessos, furiosos:

— Não pode ser!

— Isto é um roubo!

— Não aceito!

O inteligente Beremiz procurou informar-se do que se tratava.

— Somos irmãos — esclareceu o mais velho — e recebemos, como herança, esses 35 camelos. Segundo a vontade expressa de meu pai, devo receber a metade, o meu irmão Hamed Namir uma terça parte e ao Harim, o mais moço, deve tocar apenas a nona parte. Não sabemos, porém, como dividir dessa forma 35 camelos e a cada partilha proposta segue-se a recusa dos outros dois, pois a metade de 35 é 17 e meio. Como fazer a partilha se a terça parte e a nona parte de 35 também não são exatas?

— É muito simples — atalhou o Homem que Calculava. — Encarrego-me de fazer, com justiça, essa divisão, se permitirem que eu junte aos 35 camelos da herança este belo animal que, em boa hora, aqui nos trouxe!

Neste ponto, procurei intervir na questão:

— Não posso consentir em semelhante loucura! Como poderíamos concluir a viagem, se ficássemos sem o camelo?

1. Refúgio construído pelo governo ou por pessoas piedosas à beira do caminho, para servir de abrigo aos peregrinos. Espécie de rancho de grandes dimensões em que se acolhiam as caravanas.

— Não te preocupes com o resultado, ó Bagdali! — replicou-me em voz baixa Beremiz. — Sei muito bem o que estou fazendo. Cede-me o teu camelo e verás no fim a que conclusão quero chegar.

Tal foi o tom de segurança com que ele falou, que não tive dúvida em entregar-lhe o meu belo jamal,[2] que, imediatamente, foi reunido aos 35 ali presentes, para serem repartidos pelos três herdeiros.

— Vou, meus amigos — disse ele, dirigindo-se aos três irmãos —, fazer a divisão justa e exata dos camelos que são agora, como veem, em número de 36.

E, voltando-se para o mais velho dos irmãos, assim falou:

— Deverias receber, meu amigo, a metade de 35, isto é, 17 e meio. Receberás a metade de 36 e, portanto, 18. Nada tens a reclamar, pois é claro que saíste lucrando com esta divisão!

E, dirigindo-se ao segundo herdeiro, continuou:

— E tu, Hamed Namir, deverias receber um terço de 35, isto é, 11 e pouco. Vais receber um terço de 36, isto é, 12. Não poderás protestar, pois tu também saíste com visível lucro na transação.

E disse, por fim, ao mais moço:

— E tu, jovem Harim Namir, segundo a vontade de teu pai, deverias receber uma nona parte de 35, isto é, 3 e tanto. Vais receber uma nona parte de 36, isto é, 4. O teu lucro foi igualmente notável. Só tens a agradecer-me pelo resultado!

E concluiu com a maior segurança e serenidade:

— Pela vantajosa divisão feita entre os irmãos Namir — partilha em que todos três saíram lucrando — couberam 18 camelos ao primeiro, 12 ao segundo e 4 ao terceiro, o que dá um resultado (18 + 12 + 4) de 34 camelos. Dos 36 camelos, sobram, portanto, dois. Um pertence, como sabem, ao bagdali, meu amigo e

2. Uma das muitas denominações que os árabes dão ao camelo.

companheiro, outro toca por direito a mim, por ter resolvido, a contento de todos, o complicado problema da herança![3]

— Sois inteligente, ó Estrangeiro! — exclamou o mais velho dos três irmãos. — Aceitamos a vossa partilha na certeza de que foi feita com justiça e equidade!

E o astucioso Beremiz — o Homem que Calculava — tomou logo posse de um dos mais belos "jamales" do grupo e disse-me, entregando-me pela rédea o animal que me pertencia:

— Poderás agora, meu amigo, continuar a viagem no teu camelo manso e seguro! Tenho outro, especialmente para mim!

E continuamos nossa jornada para Bagdá.

3. A análise desse curioso problema os leitores encontrarão no Apêndice.

4

Do nosso encontro com um rico xeque. O xeque estava a morrer de fome no deserto. A proposta que nos fez sobre os 8 pães que trazíamos, e como se resolveu, de modo imprevisto, o pagamento com 8 moedas. As três divisões de Beremiz: a divisão simples, a divisão certa e a divisão perfeita. Elogio que um ilustre vizir dirigiu ao Homem que Calculava.

Três dias depois, aproximávamo-nos das ruínas de pequena aldeia — denominada Sippar[1] — quando encontramos, caído na estrada, um pobre viajante, roto e ferido.

Socorremos o infeliz e dele próprio ouvimos o relato de sua aventura.

Chamava-se Salém Nasair, e era um dos mais ricos mercadores de Bagdá. Ao regressar, poucos dias antes, de Báçora, com grande caravana, pela estrada de el-Hilleh,[2] fora atacado por uma chusma de nômades persas do deserto. A caravana foi saqueada e quase todos os seus componentes pereceram nas mãos dos beduínos. Ele — o chefe — conseguira, milagrosamente, escapar, oculto na areia, entre os cadáveres dos seus escravos.

E, ao concluir a narrativa de sua desgraça, perguntou-nos com voz angustiosa:

— Trazeis, por acaso, ó muçulmanos, alguma coisa que se possa comer? Estou quase, quase a morrer de fome!

— Tenho, de resto, três pães — respondi.

— Trago ainda cinco! — afirmou, a meu lado, o Homem que Calculava.

— Pois bem — sugeriu o xeque[3] —, juntemos esses pães e façamos uma sociedade única. Quando chegar a Bagdá prometo pagar com 8 moedas de ouro o pão que comer!

Assim fizemos. No dia seguinte, ao cair da tarde, entramos na célebre cidade de Bagdá, a pérola do Oriente.

Ao atravessarmos vistosa praça, demos de rosto com aparatoso cortejo. Na frente marchava, em garboso alazão, o po-

1. Antiga aldeia nos arredores de Bagdá.

2. Pequena povoação na estrada de Báçora.

3. Termo de respeito que se aplica, em geral, aos sábios, religiosos e pessoas respeitáveis pela idade ou posição social.

deroso Ibrahim Maluf, um dos vizires.[4]

O vizir, ao avistar o xeque Salém Nasair em nossa companhia, chamou-o e, fazendo parar a sua poderosa guarda, perguntou-lhe:

— Que te aconteceu, ó meu amigo? Por que te vejo chegar a Bagdá, roto e maltrapilho, em companhia de dois homens que não conheço?

O desventurado xeque narrou, minuciosamente, ao poderoso ministro, tudo o que lhe ocorrera em caminho, fazendo a nosso respeito os maiores elogios.

— Paga sem perda de tempo a esses dois forasteiros — ordenou-lhe o grão-vizir.

E, tirando de sua bolsa 8 moedas de ouro, entregou-as a Salém Nasair, acrescentando:

— Quero levar-te agora mesmo ao palácio, pois o Comendador dos Crentes deseja, com certeza, ser informado da nova afronta que os bandidos e beduínos praticaram, matando nossos amigos e saqueando caravanas dentro de nossas fronteiras.

O rico Salém Nasair disse-nos, então:

— Vou deixar-vos, meus amigos. Antes, porém, desejo agradecer-vos o grande auxílio que ontem me prestastes. E para cumprir a palavra dada, vou pagar já o pão que generosamente me destes!

E dirigindo-se ao Homem que Calculava disse-lhe:

— Vais receber, pelos 5 pães, 5 moedas!

E voltando-se para mim, ajuntou:

— E tu, ó Bagdali, pelos 3 pães, vais receber 3 moedas!

Com grande surpresa, o calculista objetou respeitoso:

— Perdão, ó Xeque. A divisão, feita desse modo, pode ser

4. Vizir é o termo para ministro. Califa é o soberano dos muçulmanos. Os califas diziam-se sucessores de Maomé. A ele era concedido o título honroso de *Comendador dos Crentes*.

muito simples, mas não é matematicamente certa! Se eu dei 5 pães devo receber 7 moedas; o meu companheiro bagdali, que deu 3 pães, deve receber apenas uma moeda.

— Pelo nome de Maomé![5] — interveio o vizir Ibrahim, interessado vivamente pelo caso. — Como justificar, ó Estrangeiro, tão disparatada forma de pagar 8 pães com 8 moedas? Se contribuíste com 5 pães, por que exiges 7 moedas? Se o teu amigo contribuiu com 3 pães, por que afirmas que ele deve receber uma única moeda?

O Homem que Calculava aproximou-se do prestigioso ministro e assim falou:

— Vou provar-vos, ó Vizir, que a divisão das 8 moedas, pela forma por mim proposta, é matematicamente certa. Quando, durante a viagem, tínhamos fome, eu tirava um pão da caixa em que estavam guardados e repartia-o em três pedaços, comendo, cada um de nós, um desses pedaços. Se eu dei 5 pães, dei, é claro, 15 pedaços; se o meu companheiro deu 3 pães, contribuiu com 9 pedaços. Houve, assim, um total de 24 pedaços, cabendo, portanto, 8 pedaços para cada um. Dos 15 pedaços que dei, comi 8; dei, na realidade, 7; o meu companheiro deu, como disse, 9 pedaços e comeu, também, 8; logo, deu apenas 1. Os 7 pedaços que eu dei e que o bagdali forneceu formaram os 8 que couberam ao xeque Salém Nasair. Logo, é justo que eu receba 7 moedas e o meu companheiro, apenas uma.

O grão-vizir, depois de fazer os maiores elogios ao Homem que Calculava, ordenou que lhe fossem entregues sete moedas, pois a mim me cabia, por direito, apenas uma. Era lógica, perfeita e irrespondível a demonstração apresentada pelo matemático.

5. Fundador do Islamismo, a religião dos árabes. Nasceu, em Meca, no ano 571 e morreu no ano 632. Uma das personalidades mais notáveis da História.

— Esta divisão — retorquiu o calculista — de sete moedas para mim e uma para meu amigo, conforme provei, é matematicamente certa, mas não é perfeita aos olhos de Deus!

E tomando as moedas na mão dividiu-as em duas partes iguais. Deu-me uma dessas partes (4 moedas), guardando, para si, as quatro restantes.

— Esse homem é extraordinário — declarou o vizir. — Não aceitou a divisão proposta de 8 dinares em duas parcelas de 5 e 3, em que era favorecido; demonstrou ter direito a 7 e que seu companheiro só devia receber um dinar, acabando por dividir as 8 moedas em 2 parcelas iguais, que repartiu, finalmente, com o amigo.

E acrescentou com entusiasmo:

— Mach-Allah![6] Esse jovem, além de parecer-me um sábio e habilíssimo nos cálculos e na Aritmética, é bom para o amigo e generoso para o companheiro. Tomo-o, hoje mesmo, para meu secretário!

— Poderoso Vizir — tornou o Homem que Calculava —, vejo que acabais de fazer com 32 vocábulos, com um total de 143 letras, o maior elogio que ouvi em minha vida, e eu, para agradecer-vos, sou forçado a empregar 64 palavras nas quais figuram nada menos de 286 letras. O dobro, precisamente! Que Alá vos abençoe e vos proteja!

Com tais palavras o Homem que Calculava deixou a todos nós maravilhados com sua argúcia e invejável talento. A sua capacidade de calculista ia ao extremo de contar as palavras e as letras de uma frase que acabara de ouvir.

6. Exclamação usual entre muçulmanos que significa "Poderoso é Deus!". Leia-se: *Maque-alá*.

No qual vamos para uma hospedaria. Palavras calculadas por minuto. Beremiz resolve um problema e determina a dívida de um joalheiro.

Logo que deixamos a companhia do xeque Nasair e do vizir Maluf, encaminhamo-nos para uma pequena hospedaria denominada Marreco Dourado, nas vizinhanças da mesquita de Solimã.

Os nossos camelos foram vendidos a um chamir[1] de minha confiança, que morava perto.

Em caminho disse a Beremiz:

— Já vê, meu amigo, que tive razão quando afirmei que um calculista hábil acharia com facilidade um bom emprego em Bagdá! Mal você chegou, foi convidado para exercer o cargo de secretário de um vizir. Não precisará voltar para a tal aldeia de Khói, penhascosa e triste.

— Mesmo que aqui prospere — respondeu-me o calculista — e enriqueça, pretendo voltar, mais tarde, à Pérsia, para rever o meu torrão natal. Ingrato é aquele que esquece a pátria e os amigos de infância, quando tem a felicidade de encontrar, na vida, o oásis da prosperidade e da fortuna.

E acrescentou, tomando-me pelo braço:

— Viajamos juntos, até o presente momento, 8 dias, exatamente. Durante esse tempo, para esclarecer dúvidas e indagar sobre coisas que me interessavam, pronunciei, precisamente, 414.720 palavras. Ora, como em 8 dias há 11.520 minutos, posso concluir que, durante a nossa jornada, pronunciei, em média, 36 palavras por minuto, isto é, 2.160 por hora. Esses números mostram que falei pouco, fui discreto e não tomei o teu tempo fazendo-te ouvir discursos estéreis. O homem taciturno, excessivamente calado, torna-se desagradável; mas os que falam sem parar irritam ou enfastiam seus ouvintes. Devemos, pois, evitar as palavras inúteis sem cair no laconismo exagerado, incompatível com a delicade-

1. Chefe de caravana.

za. A tal respeito, poderei narrar um caso muito curioso.

Depois de ligeira pausa, o calculista contou-me o seguinte:

— Havia em Teerã, na Pérsia, um velho mercador que tinha três filhos. Um dia o mercador chamou os jovens e disse-lhes: "Aquele que passar o dia sem pronunciar palavras inúteis receberá, de mim, um prêmio de vinte e três timões."[2]

Ao cair da noite os três filhos foram ter à presença do ancião. Disse o primeiro:

— Evitei hoje, meu pai, todas as palavras inúteis. Espero, portanto, merecer (segundo a vossa promessa) o prêmio combinado — prêmio esse de vinte e três timões, conforme deveis estar lembrado.

O segundo aproximou-se do velho, beijou-lhe as mãos, e limitou-se a dizer:

— Boa noite, meu Pai!

O mais moço, finalmente, não pronunciou palavra, aproximou-se do velho e estendeu-lhe apenas a mão para receber o prêmio. O mercador, ao observar a atitude dos três rapazes, assim falou:

— O primeiro, ao chegar à minha presença, fatigou-me a atenção com várias palavras inúteis; o terceiro mostrou-se exageradamente lacônico. O prêmio caberá, pois, ao segundo, que foi discreto, sem verbosidade e simples, sem afetação:

E Beremiz, ao concluir, interpelou-me:

— Não acha que o velho mercador agiu com justiça, ao julgar os três filhos?

Nada respondi. Achei melhor não discutir o caso dos vinte e três timões com aquele homem prodigioso que reduzia tudo a números, calculava médias e resolvia problemas.

Momentos depois chegávamos ao Marreco Dourado.

2. *Timão* ou *tomão* — Moeda persa de ouro.

O dono da hospedaria chamava-se Salim e fora empregado do meu pai. Ao avistar-me gritou risonho:

— Alá sobre ti, meu menino![3] Aguardo as tuas ordens agora e sempre!

Disse-lhe que precisava de um quarto para mim e para o meu amigo Beremiz Samir, o calculista, secretário do vizir Maluf.

— Esse homem é calculista? — indagou o velho Salim. — Chegou, então, em momento oportuno para tirar-me de um embaraço. Acabo de ter séria divergência com um vendedor de joias. Discutimos longo tempo e de nossa discussão resultou, afinal, um problema que não sabemos resolver.

Informadas de que um grande calculista havia chegado à hospedaria, várias pessoas aproximaram-se curiosas. O vendedor de joias foi chamado e declarou achar-se interessadíssimo na resolução do tal problema.

— Qual é, afinal, a origem da dúvida? — perguntou Beremiz.

— Esse homem (e apontou para o joalheiro) veio da Síria vender joias em Bagdá; prometeu-me que pagaria, pela hospedagem, 20 dinares se vendesse as joias por 100 dinares, pagando 35 se as vendesse por 200.

Ao cabo de vários dias, tendo andado daqui para ali, acabou vendendo tudo por 140 dinares. Quanto deve pagar, consoante a nossa combinação, pela hospedagem?

— Devo pagar apenas vinte e quatro dinares e meio! — replicou logo o mercador sírio. — Se para a venda de 200 eu pagaria 35, para a venda de 140 eu devo pagar 24 e meio!

3. Alá sobre ti significa "Deus te proteja".

PROPORÇÃO FEITA PELO MERCADOR DE JOIAS:

Duzentos está para trinta e cinco, assim como cento e quarenta está para x ou:

200 : 35 : : 140 : x

Multiplicando os meios e dividindo pelo extremo, o resultado será:

x = 24,5
Total da dívida.

— Está errado! — contrariou irritado o velho Salim. — Pelas minhas contas são 28. — Veja bem: Se para 100 eu deveria receber 20, para 140, da venda, devo receber 28. E vou provar.

E o velho Salim raciocinou do seguinte modo:

— Se para 100 eu deveria receber 20, para 10 (que é a décima parte de 100), eu deveria receber a décima parte de 20.

Qual é a décima parte de 20?

A décima parte de 20 é 2.

Logo, para 10, eu deveria receber 2.

140 quantos 10 contêm?

140 contêm 14 vezes 10.

PROPORÇÃO FEITA PELO DONO DA HOSPEDARIA:

Cem está para vinte, assim como cento e quarenta está para x ou:

100 : 20 : : 140 : x

O valor de x é 28
Total da dívida.

Logo, para 140, eu devo receber 14 vezes 2, que é igual a 28, como já disse.

E o velho Salim, depois de todos aqueles cálculos, bradou enérgico:

— Devo receber 28. É esta a conta certa!

— Calma, meus amigos — interrompeu o calculista. — É preciso encarar as dúvidas com serenidade e mansidão. A precipitação conduz ao erro e à discórdia. Os resultados que os senhores indicam estão errados, conforme vou provar.

E esclareceu o caso do seguinte modo:

— De acordo com a combinação feita, o sírio seria obrigado a pagar 20 dinares pela hospedagem, se vendesse as joias por 100, e seria obrigado a pagar 35 se as vendesse por 200.

Temos assim:

Preço da venda	Custo da hospedagem
200	35
100	20
–	–
dif. 100	dif. 15

Reparem que a diferença de 100, no preço da venda, corresponde a uma diferença de 15 no preço da hospedagem! Não é claro?

— Claro como leite de camela! — assentiram os dois.

— Ora — prosseguiu o calculista —, se o acréscimo de 100 na venda traria um aumento de 15 na hospedagem, eu pergunto: Qual será o aumento da hospedagem para o acréscimo de 40 na venda? Se a diferença fosse de 20 (que é um quinto de 100), o aumento da hospedagem seria de 3 (pois 3 é um quinto de 15). Para a diferença de 40 (que é o dobro de 20), o acréscimo da hospedagem deverá ser de 6. O pagamento correspondente a 140 é, portanto, de 26.

PROPORÇÃO FEITA PELO CALCULISTA:

Cem está para quinze assim como quarenta está para x, ou:

100 : 15 : : 40 : x

O valor de x é 6

(Acréscimo de preço e não o total da dívida)

— Meu amigo! Os números, na simplicidade com que se apresentam, iludem, não raro, os mais atilados. As proporções que nos parecem perfeitas estão, por vezes, falseadas pelo erro. Da incerteza dos cálculos é que resulta o indiscutível prestígio da Matemática. Nos termos da combinação, o senhor deverá pagar ao hospedeiro 26 dinares e não 24 e meio, como a princípio acreditava! Há ainda, na solução final desse problema, pequena diferença que não merece ser apurada e cuja grandeza não disponho de recursos para exprimir numericamente.[4]

— O senhor tem toda razão — assentiu o joalheiro. — Reconheço agora que o meu cálculo estava errado.

E, sem hesitar, tirou da bolsa 26 dinares e entregou-os ao velho Salim, oferecendo, de presente, ao talentoso Beremiz, um belo anel de ouro com duas pedras escuras, exornando a dádiva com afetuosas expressões.

Todos quantos se achavam na hospedaria admiraram-se da sagacidade do novo calculista, cuja fama, dia a dia, galgava, a passos largos, a almenara[5] do triunfo.

4. Esse problema só pode ser resolvido, de modo completo, à luz da teoria das interpolações. Ver Apêndice.

5. Torre de que são providas as mesquitas. Das almenaras, ou minaretes, o muezim chama os fiéis à prece.

6

Do que ocorreu durante a nossa visita ao vizir Maluf. Encontramos o poeta Iezid, que não acreditava nos prodígios do Cálculo. O Homem que Calculava conta, de modo original, uma cáfila numerosa. A idade da noiva e um camelo sem orelha. Beremiz descobre a "amizade quadrática" e fala do rei Salomão.

Depois da segunda prece,[1] deixamos a Hospedaria do Marreco Dourado e seguimos, a passos rápidos, para a residência do vizir Ibrahim Maluf, ministro do rei.

Ao entrar na rica morada do nobre muçulmano fiquei, realmente, encantado.

Cruzamos pesada porta de ferro e percorremos um corredor estreito, e sempre guiados por um escravo núbio gigantesco (que trazia algemas de ouro no punho esquerdo) fomos conduzidos ao soberbo jardim interno do palácio.

Esse jardim, construído com fino gosto, era ensombrado por duas filas paralelas de laranjeiras. Para esse jardim abriam-se várias portas, algumas das quais deviam servir ao harém do palácio. Duas escravas kafiras que se achavam, descuidadas, colhendo flores, logo que os avistaram correram entre os canteiros e desapareceram atrás das colunas.

Do jardim, que me pareceu alegre e gracioso, passava-se por uma porta estreita, aberta em muro bastante alto, para o primeiro pátio da belíssima vivenda. Digo *primeiro* porque a residência dispunha de outro pátio na ala esquerda do edifício.

No meio desse primeiro pátio, todo coberto de esplêndido mosaico, relumbrava uma fonte com três repuxos. As três curvas líquidas,[2] formadas no espaço, rebrilhavam ao sol.

Atravessamos o pátio e, sempre guiados pelo escravo das algemas de ouro, fomos levados para o interior do palácio. Cruzamos várias salas ricamente enfeitadas com tapeçarias bordadas com fios de prata e chegamos, finalmente, ao aposento em que se achava o prestigioso ministro do rei.

Fomos encontrá-lo recostado em grandes almofadas, a palestrar com dois de seus amigos.

1. Ver Glossário.

2. Essas curvas são parábolas.

Um deles (logo reconheci) era o xeque Salém Nasair, nosso companheiro de aventuras no deserto; o outro era um homem baixo, de rosto redondo, fisionomia bondosa, a barba ligeiramente grisalha. Trajava com apurado gosto e ostentava no peito uma medalha de forma retangular, tendo uma das metades amarela, cor de ouro, e outra escura como bronze.

O vizir Maluf recebeu-nos com demonstrações de viva simpatia. Dirigindo-se ao homem da medalha, disse, risonho:

— Eis aí, meu caro Iezid, o nosso grande calculista. Este jovem que o acompanha é um bagdali que o descobriu, por acaso, quando jornadeava pelos caminhos de Alá.[3]

Dirigimos respeitoso salã ao nobre xeque. Soubemos, mais tarde, que se tratava de brilhante poeta — Iezid Abdul-Hamid — amigo e confidente do califa Al-Motacém. Aquela medalha singular ele a recebera, como prêmio, das mãos do califa, por ter escrito um poema com trinta mil e duzentos versos sem empregar uma única vez as letras *Kaf*, *Lam* e *Ayn*.[4]

— Custa-me acreditar, amigo Maluf — declarou, em tom risonho, o poeta Iezid —, nas façanhas prodigiosas levadas a termo por esse calculista persa. Quando os números se combinam, aparecem, também, os artifícios de cálculo e as sutilezas algébricas. Ao rei El-Harit, filho de Modad, apresentou-se certa vez um mago, que afirmava poder ler na areia o destino dos homens. "O senhor faz cálculos?" — perguntou o rei. E antes que o mago despertasse do espanto em que se achava, o monarca ajuntou: "Se não faz cálculo, suas previsões nada valem: se as obtém pelo cálculo, duvido muito delas." Aprendi na Índia um provérbio que diz: "É preciso desconfiar sete vezes do cálculo e cem vezes do matemático."[5]

3. Ir pelos caminhos de Alá significa jornadear pelo mundo sem destino certo.

4. São três letras notáveis de uso corrente no alfabeto árabe.

5. Era essa a denominação dada a falsos astrólogos e embusteiros.

— Para pôr termo a essas desconfianças — sugeriu o vizir — vamos submeter o nosso hóspede a uma prova decisiva.

E dizendo isso, ergueu-se da cômoda almofada e, tomando delicadamente Beremiz pelo braço, condiziu-o até uma das varandas do palácio.

Abria essa varanda para o segundo pátio lateral que, no momento, desbordava de camelos. E que lindos espécimes! Quase todos pareciam de boa raça. Avistei, de pronto, dois ou três brancos, da mongólia, e vários *carehs*, de pelo claro.

— Eis aí — disse o vizir — a bela partida de camelos que comprei ontem e que pretendo enviar, como dote, ao pai de minha noiva. Sei precisamente, sem erro possível, quantos são!

E o vizir, para tornar mais interessante a prova, enunciou, em segredo, ao ouvido de seu amigo Iezid, o poeta, o número total das alimárias.

— Quero agora — prosseguiu, voltando-se para Beremiz — que o nosso calculista diga quantos camelos se acham no pátio, diante de nós.

Fiquei apreensivo com o caso. Os camelos eram numerosos e confundiam-se no meio da agitação em que se achavam. Se o meu amigo, por um descuido, errasse no cálculo, a nossa visita teria, como consequência, o mais doloroso fracasso. Depois de correr os olhos pela irrequieta cáfila, o inteligente Beremiz disse:

— Senhor Vizir! Quero crer que se encontram, agora, neste pátio, 257 camelos!

— É isso mesmo — confirmou o vizir. — Acertou. O total é realmente esse: 257! *Kelimet-Uallah*![6]

— E como chegou a esse resultado tão depressa, e com tanta precisão? — indagou, com indisfarçável curiosidade, o poeta Iezid.

---

6. Palavra de Deus. Ver Glossário.

— Muito simplesmente — explicou Beremiz. — Contar os camelos, um por um, seria, a meu ver, tarefa sem interesse, do valor de uma bagatela. Para tornar mais interessante o problema, procedi da seguinte forma: Contei primeiro todas as pernas e em seguida as orelhas: achei, desse modo, um total de 1.541. A este total juntei uma unidade, e dividi o resultado por 6. Feita essa pequena divisão, encontrei o quociente exato: 257!

— Pela glória da Caaba![7] — clamou, com alegria, o vizir. — Isso tudo é originalíssimo e estupendo! Quem pudera imaginar que esse calculista, para tornar mais interessante o problema, fosse capaz de contar todas as pernas e orelhas de 257 camelos!

E repetiu com sincero entusiasmo:

— Pela glória da Caaba!

— Devo dizer, senhor Vizir — retorquiu Beremiz —, que os cálculos se tornam, às vezes, complicados e difíceis em consequência do descuido ou da falta de habilidade do calculista. Certa vez, em Khói, na Pérsia, quando vigiava o rebanho de meu amo, passou pelo céu um bando de borboletas. Um pastor, a meu lado, perguntoume se eu poderia contá-las. "São oitocentas e cinquenta e seis!" — respondi. "Oitocentas e cinquenta e seis!" — exclamou o meu companheiro, como se achasse exagerado aquele total. Só então verifiquei que por descuido havia contado não as borboletas, mas as suas asas. Feita a necessária divisão por 2, encontrei, a seguir, o resultado certo.

Ao ouvir o relato desse caso, expandiu-se o vizir em estrepitosa risada que soava, aos meus ouvidos, como se fora uma música deliciosa.

— Há nisso tudo — interveio, muito sério, o poeta Iezid — uma particularidade que me escapa ao raciocínio. A divisão

7. Ver Glossário.

por 6 é aceitável, uma vez que cada camelo tem 4 patas e 2 orelhas e a soma (4 + 2) é igual a 6.[8] Não compreendo, porém, é a razão que o levou a juntar 1 ao total antes de dividi-lo por 6!

— Nada mais simples — acudiu logo Beremiz. — Ao contar as orelhas, notei que um dos camelos era defeituoso (só tinha uma orelha). Para que a conta ficasse certa era preciso acrescentar 1 ao total obtido.

E, voltando-se para o vizir, perguntou:

— Seria indiscrição ou imprudência de minha parte perguntar-vos, ó Vizir, qual a idade daquela que tem a ventura de ser vossa noiva?

— De modo algum — respondeu, risonho, o ministro. — Astir tem 16 anos!

E acrescentou, sublinhando as palavras com um ligeiro tom de desconfiança:

— Mas não vejo relação alguma, senhor calculista, entre a idade da minha noiva e os camelos que vou oferecer, de presente, ao meu futuro sogro!

— Desejo apenas — refletiu Beremiz — fazer-vos uma pequena sugestão. Se retirardes da cáfila o tal camelo defeituoso (sem orelha) o total passará a ser de 256. Ora, 256 é o quadrado de 16, isto é, 16 vezes 16. O presente oferecido ao pai da encantadora Astir tomará, desse modo, feição altamente matemática: O número de camelos que formam o lote é igual ao quadrado da idade da noiva! Além do mais, o número 256 é potência exata do número 2 (que para os antigos é número simbólico), ao passo que 257 é primo.[9] Essas relações entre os

8. Se os camelos fossem, por exemplo, em número de dez, o total de pernas e orelhas (seis para cada um) seria, é claro, 60. Importa, pois, dizer que o número de camelos é obtido dividindo-se por 6 o número total de pernas e orelhas.

9. *Número primo* (entre os números naturais) é aquele que só é divisível por si mesmo e pela unidade. São primos os números 2, 3, 5, 7, 11, 13 etc.

números quadrados são de bom augúrio para os apaixonados. Há uma lenda muito interessante sobre os números quadrados. Quereis ouvi-la?

— Com muito prazer — respondeu o vizir. — As lendas famosas, quando bem narradas, são como brincos de ouro para os meus ouvidos.

Depois de ouvir palavras tão lisonjeiras, o calculista inclinou a cabeça, num gesto de agradecimento, e começou:

— Conta-se que o famoso rei Salomão,[10] para demonstrar a finura e a sabedoria de seu espírito, deu à sua noiva, a rainha de Sabá — a famosa Belquiss — uma caixa com 529 pérolas. Por que 529? Sabe-se que 529 é o quadrado de 23, isto, é, 529 é igual a 23 multiplicado por 23. E 23 era, exatamente, a idade da rainha. No caso da jovem Astir, o número 256 virá substituir, com muita vantagem, o número 529.

Todos olharam, com certo espanto, para o calculista. E este, em tom calmo e sereno, prosseguiu:

— Vamos somar os algarismos de 256. Obtemos a soma 13. O quadrado de 13 é 169. Vamos, agora, somar os algarismos de 169. A soma dos algarismos de 169 é 16. Existe, portanto, entre os números 13 e 16, uma curiosa relação que poderia ser chamada a "amizade quadrática". Realmente, se os números falassem, poderíamos ouvir o seguinte diálogo. O Dezesseis diria ao Treze:

— Quero prestar-te uma homenagem, meu caro. O meu quadrado é 256 e a soma dos algarismos desse quadrado é 13.

O Treze responderia:

— Agradeço a tua gentileza, meu amigo, e quero retribuí-la na mesma moeda. O meu quadrado é 169 e a soma dos algarismos desse quadrado é 16.

Parece-me que justifiquei cabalmente a preferência que deve

10. O leitor encontrará, no Glossário, o relato surpreendente da morte de Salomão.

ser dada ao número 256 que excede, por suas singularidades, o número 257.

— A sua ideia é bastante curiosa — concordou, prontamente, o vizir —, e vou executá-la, muito embora venha sobre mim pesar a acusação de plagiário do grande Salomão!

E, dirigindo-se ao poeta, Iezid, rematou:

— Noto que a inteligência desse calculista não é menor que a sua habilidade em descobrir analogias e inventar lendas. Muito acertado andei no momento em que resolvi convidá-lo para meu secretário.

— Sinto dizer-vos, ilustre Mirza[11] — tornou Beremiz —, que só poderia aceitar o vosso honroso convite se aqui houvesse também lugar para o meu bom amigo Hank-Tade-Maiá — o bagdali, que ora se vê desempregado e sem recursos.

Fiquei encantado com a delicada lembrança do calculista. Ele procurava, desse modo, atrair a meu favor a valiosa proteção do poderoso vizir.

— É muito justo o seu pedido — condescendeu o vizir. — O seu companheiro Hank-Tade-Maiá ficará exercendo aqui as funções de escriba, com o ordenado que lhe couber.

Aceitei, sem hesitar, a proposta, exprimindo logo ao vizir, e também ao bondoso Beremiz, o meu reconhecimento.

11. O vocábulo persa mirza quer dizer literalmente "nascidos de mir", isto é, nobre, fidalgo. Beremiz, por ser de origem persa, dava, ao xeque, o título honroso de *mirza*.

7

Nossa visita ao suque dos mercadores. Beremiz e o turbante azul. O caso dos quatro quatros. O problema dos cinquenta dinares. Beremiz resolve o problema e recebe um belíssimo presente.

Alguns dias depois, encerrados os trabalhos que fazíamos no palácio do vizir, fomos dar um giro pelo suque[1] e pelos jardins de Bagdá.

A cidade apresentava, naquela tarde, um movimento intenso, febril, fora do comum. É que, pela manhã, haviam chegado duas ricas caravanas de Damasco.

No bazar dos sapateiros, por exemplo, mal se podia entrar; havia sacos e caixas, com mercadorias, amontoados nos pátios das estalagens. Forasteiros damascenos, com imensos turbantes coloridos, ostentando nas cinturas suas armas, caminhavam descuidados, olhando com indiferença para os mercadores. Sentia-se um cheiro forte de incenso, de quife[2] e de especiarias. Vendedores de favas discutiam, quase se agrediam, proferindo pragas tremendas em sírio.

Um jovem guitarrista mossulense, sentado sobre grandes sacos de melancia, cantava uma toada monótona e triste:

> *Que importa a vida da gente,*
> *Se a gente, por mal ou bem,*
> *Vai vivendo simplesmente*
> *A vida que a gente tem?*[3]

Vendedores, nas portas de suas tendas, apregoavam suas mercadorias, exaltando-as com elogios exagerados e fantasiosos, no que é fértil a imaginação dos árabes.

— Este rico tecido é digno do nosso emir!

— Amigos! Eis um delicioso perfume que lembra os carinhos de vossa esposa!

1. *Suque ou suk* — Rua ou praça em que se localizavam as tendas, os bazares e as lojas dos mercadores.

2. *Quife ou kif* — Produto tirado do cânhamo, que os árabes usam como fumo.

3. Trova de Anis Murad, poeta brasileiro (1904-1962).

— Reparai, ó xeque, nestas chinelas e neste lindo cafetã[4] que os djins[5] recomendam aos anjos!

Interessou-se Beremiz por um elegante e harmonioso turbante azul-claro que um sírio, meio corcunda, oferecia por 4 dinares. A tenda desse mercador era, aliás, muito original, pois tudo ali (turbantes, caixas, punhais, pulseiras etc.) era vendido por 4 dinares. Havia um letreiro, em letras vistosas, que dizia:

Os quatro quatros

Ao ver Beremiz interessado em adquirir o turbante azul, objetei:

— Julgo loucura comprar esse luxo. Estamos com pouco dinheiro e ainda não pagamos a hospedaria.

— Não é o turbante que me interessa — retorquiu Beremiz. — Repare que a tenda desse mercador é intitulada "Os quatro quatros". Há nisso tudo espantosa coincidência digna de atenção.

— Coincidência? Por quê?

— Ora, bagdali — retornou Beremiz —, a legenda que figura nesse quadro recorda uma das maravilhas do Cálculo: podemos formar um número qualquer empregando quatro quatros!

E antes que eu o interrogasse sobre aquele enigma, Beremiz explicou, riscando na areia fina que cobria o chão:

— Quer formar o zero? Nada mais simples. Basta escrever:

$$44 - 44$$

Estão aí quatro quatros formando uma expressão que é igual a zero.

4. Túnica debruada. Entre os persas era o "roupão" ou a "camisola", que usavam habitualmente.

5. Gênios sobrenaturais benfazejos, em cuja existência os árabes acreditavam. Atualmente essa crendice só existe nas classes incultas. Havia, também, os *efrites*, que eram gênios maléficos.

Passemos ao número 1. Eis a forma mais cômoda:

$$\frac{44}{44}$$

Representa, essa fração, o quociente da divisão de 44 por 44. E esse quociente é 1.

Quer ver, agora, o número 2? Podem-se aproveitar, facilmente, os quatro quatros e escrever:

$$\frac{4}{4}+\frac{4}{4}$$

A soma das duas frações é, exatamente, igual a 2. O três é mais fácil. Basta escrever a expressão:

$$\frac{4+4+4}{4}$$

Repare que a soma 12, dividida por quatro, dá um quociente 3. Eis, portanto, o 3 formado por quatro quatros.

— E como vai formar o próprio número 4? — perguntei.

— Nada mais simples — explicou Beremiz —, o 4 pode ser formado de várias maneiras diferentes. Eis uma expressão equivalente a 4:

$$4+\frac{4-4}{4}.$$

Observe que a segunda parcela $\frac{4-4}{4}$ é nula, e que a soma fica igual a quatro. A expressão escrita equivale a 4 + 0, ou 4.

Notei que o mercador sírio acompanhava atento, sem perder palavra, a explicação de Beremiz, como se muito lhe interessassem aquelas expressões aritméticas formadas por *quatro quatros*.[6]

Beremiz prosseguiu:

Quero formar, por exemplo, o número 5. Não há dificuldade.

6. Dadas a natureza e a finalidade deste livro, admitimos o emprego de sinais matemáticos modernos. É evidente que na época em que viveu Beremiz a notação matemática era bem diferente (Malba Tahan).

Escreveremos:

$$\frac{4 \times 4 + 4}{4}$$

Exprime esse arranjo numérico a divisão de 20 por 4. E o quociente é 5. Temos, desse modo, o 5 escrito com *quatro quatros*.

A seguir passemos ao 6, que apresenta uma forma muito elegante:

$$\frac{4+4}{4}+4$$

Uma pequena alteração nesse interessante conjunto conduz ao resultado 7:

$$\frac{44}{4}-4$$

É muito simples a forma que pode ser adotada para o número 8, escrito com quatro quatros:

$$4+4+4-4$$

O número 9 não deixa de ser também interessante:

$$4+4+\frac{4}{4}$$

Eis agora uma expressão, muito elegante, igual a 10, formada com quatro quatros:[7]

$$\frac{44-4}{4}$$

Nesse momento o corcunda, dono da tenda, que estivera a acompanhar a explicação do calculista em atitude de respeitoso silêncio e interesse, observou:

7. Com quatro quatros podemos escrever um número qualquer, desde 1 até 100. Ver Apêndice: O problema dos Quatro Quatros.

— Pelo que acabo de ouvir, o senhor é exímio nas contas e nos cálculos. Dar-lhe-ei de presente o belo turbante azul se souber explicar certo mistério encontrado numa soma, que há dois anos me tortura o espírito.

E o mercador narrou o seguinte:

— Emprestei, certa vez, a quantia de 100 dinares, sendo 50 a um xeque de Medina e outros 50 a um judeu do Cairo.

O medinense pagou a dívida em quatro parcelas, do seguinte modo: 20, 15, 10 e 5. Assim:

Pagou	**20**	**ficou devendo**	**30**
Pagou	**15**	**ficou devendo**	**15**
Pagou	**10**	**ficou devendo**	**5**
Pagou	**5**	**ficou devendo**	**0**
	—		—
Soma	**50**	**Soma**	**50**

Repare, meu amigo, que tanto a soma das quantias pagas como a dos saldos devedores são iguais a 50.

O judeu cairota pagou, igualmente, os 50 dinares em quatro prestações, do seguinte modo:

Pagou	**20**	**ficou devendo**	**30**
Pagou	**18**	**ficou devendo**	**12**
Pagou	**3**	**ficou devendo**	**9**
Pagou	**9**	**ficou devendo**	**0**
	—		—
Soma	**50**	**Soma**	**51**

Convém observar, agora, que a primeira soma é 50 (como no caso anterior), ao passo que a outra dá um total de 51.

Não sei explicar essa diferença de 1 que se observa na segunda forma de pagamento. Bem sei que não fui prejudicado (pois recebi o total da dívida), mas como justificar o fato de ser a segunda soma igual a 51 e não a 50?

— Meu amigo — esclareceu Beremiz —, isto se explica com poucas palavras. Nas contas de pagamento, os saldos devedores não têm relação alguma com o total da dívida. Admitamos que uma dívida de 50 fosse paga em três prestações: a 1ª de 10, a segunda de 5 e a terceira de 35. Eis a conta, com os saldos:

Pagou	**10**	**ficou devendo**	**40**
Pagou	**5**	**ficou devendo**	**35**
Pagou	**35**	**ficou devendo**	**0**
	—		—
Soma	**50**	**Soma**	**75**

Neste exemplo, a primeira soma é ainda 50, ao passo que a soma dos saldos é, como se vê, 75; podia ser 80, 90, 100, 260, 800 ou um número qualquer. Só por acaso dará exatamente 50 (como no caso do xeque) ou 51 (como no caso do judeu).

O mercador alegrou-se por ter entendido a explicação dada por Beremiz e cumpriu a promessa feita, oferecendo ao calculista o turbante azul que valia quatro dinares.

8

Ouvimos Beremiz discorrer sobre as formas geométricas. Encontramos o xeque Salém Nasair entre os criadores de ovelhas. Beremiz resolve o problema dos 21 vasos e mais outro que causa assombro aos mercadores. Como se explica o desaparecimento de um dinar numa conta de trinta dinares.

Mostrou-se Beremiz satisfeitíssimo ao receber o belo presente do mercador sírio.

— Está muito bem arranjado — disse, revirando o turbante e examinando-o de um lado e de outro, cuidadosamente. — Tem, entretanto, a meu ver, pequeno defeito que poderia ser evitado. A sua forma não é rigorosamente geométrica!

Fitei-o sem saber disfarçar a surpresa que suas palavras me levavam ao espírito.

Aquele homem, além de ser original calculista, tinha a mania de transformar as coisas mais vulgares de modo a dar forma geométrica até aos turbantes dos muçulmanos.

— Não se admire, meu amigo — prosseguiu o inteligente persa —, de que eu queira ver turbantes com formas geométricas. A Geometria existe por toda parte.[1] Procure observar as formas regulares e perfeitas que muitos corpos apresentam. As flores, as folhas e incontáveis animais revelam simetrias admiráveis que nos deslumbram o espírito.

A Geometria, repito, existe por toda parte. No disco do sol, na folha da tamareira, no arco-íris, na borboleta, no diamante, na estrela-do-mar e até num pequenino grão de areia. Há, enfim, infinita variedade de formas geométricas espalhadas pela Natureza. Um corvo a voar lentamente pelo céu descreve, com a mancha negra de seu corpo, figuras admiráveis; o sangue que circula nas veias do camelo não foge aos rigorosos princípios geométricos;[2] a pedra que se atira no chacal importuno desenha, no ar, uma curva perfeita![3] A abelha constrói

1. O asserto é atribuído a Platão, filósofo grego do século IV a.C. Platão foi discípulo de Sócrates e mestre de Aristóteles.

2. O camelo apresenta uma singularidade: é o único mamífero que tem os glóbulos do sangue com a forma elíptica. Os naturalistas assinalam essa forma dos glóbulos como característica das aves e dos répteis.

3. Essa curva é a parábola. É a curva descrita pelo jato d'água de um repuxo.

seus alvéolos com a forma de prismas hexagonais e adota essa forma geométrica, segundo penso, para obter a sua casa com a maior economia possível de material.

A Geometria existe, como já disse o filósofo, por toda parte. É preciso, porém, olhos para vê-la, inteligência para compreendê-la e alma para admirá-la.

O beduíno rude vê as formas geométricas, mas não as entende; o sunita[4] entende-as, mas não as admira; o artista, enfim, enxerga a perfeição das figuras, compreende o Belo e admira a Ordem e a harmonia! Deus foi o grande geômetra. Geometrizou a Terra e o Céu.[5]

Existe, na Pérsia, uma planta muito apreciada como alimento, pelos camelos e ovelhas e cuja semente...

E sempre discorrendo, com entusiasmo, sobre as múltiplas belezas da Geometria, foi Beremiz caminhando pela extensa e poeirenta estrada que vai do suque dos mercadores até a Ponte da Vitória. Eu o acompanhava, em silêncio, ouvindo embevecido os seus curiosos ensinamentos.

Depois de cruzarmos a Praça Muazém, também chamada Refúgio dos Cameleiros, avistamos a velha Hospedaria das Sete Penas, muito procurada, nos dias quentes, pelos viajantes e beduínos vindos de Damasco e de Mossul.

A parte mais pitoresca dessa Hospedaria das Sete Penas era o seu pátio interno, com boa sombra para os dias de verão e cujas paredes se apresentavam totalmente cobertas de plantas coloridas, trazidas das montanhas do Líbano. Sentia-se, ali, um ar de tranquilidade e repouso.

4. Indivíduo de uma das seitas muçulmanas. Adepto da ortodoxia da "Sunnat", era, em geral, contrário a qualquer manifestação de arte. (Nota de Malba Tahan.)

5. A frase é de Platão. Foi parodiada pelo notável analista alemão Karl Gustav Jacobi (1832-1891): "Deus aritmetizou o Céu e a Terra."

Em velha tabuleta de madeira (junto à qual os caravaneiros amarravam seus camelos) podíamos ler, em letras bem talhadas, o título:

Sete penas

— Sete Penas! — murmurou Beremiz, observando a tabuleta. — É curioso! Conheces, por acaso, ó bagdali, o dono dessa hospedaria?

— Conheço-o muito bem — respondi. — É um velho cordoeiro de Trípoli, cujo pai serviu nas forças do sultão Queruã. É apelidado o Tripolitano. É bastante estimado por ser de natureza simples e comunicativa. É homem honrado e prestativo. Dizem que foi ao Sudão, numa caravana de aventureiros sírios, e trouxe, das terras africanas, cinco escravos negros que lhe servem com incrível fanatismo. Ao regressar do Sudão, deixou o seu ofício de cordoeiro e montou esta hospedaria, sempre auxiliado pelos cinco escravos.

— Com escravos, ou sem escravos — retorquiu Beremiz — esse homem, o Tripolitano, deve ser bastante original. Ligou o nome de sua hospedaria ao número *sete* e o *sete* foi sempre, para todos os povos, muçulmanos, cristãos, judeus, idólatras ou pagãos, um número sagrado, por ser a soma do número *três* (que é divino) com o número *quatro* (que simboliza o mundo material). E dessa relação resultam muitas coleções notáveis que totalizam *sete*:

Sete as portas do Inferno;
Sete os dias da semana;
Sete os sábios da Grécia;
Sete os céus que cobrem o mundo;
Sete os planetas;

Sete as maravilhas do mundo.[6]

Ia o eloquente calculista prosseguir em suas estranhas observações sobre o Número Sagrado, quando avistamos, à porta da hospedaria, nosso dedicado amigo o xeque Salém Nasair, que acenava, repetidas vezes, chamando por nós.

— Sinto-me feliz por têlo encontrado agora, ó Calculista! — disse risonho o xeque quando dele nos aproximamos. — Sua chegada, não só para mim, como para três amigos que se acham nesta hospedaria, foi altamente providencial.

E acrescentou, com simpatia e visível interesse:

— Venham! Venham comigo, que o caso é muito sério.

Levou-nos, a seguir, para o interior da hospedaria. Conduziu-nos por um corredor meio escuro, úmido, até o pátio interno, acolhedor e claro. Havia ali cinco ou seis mesas redondas. Junto a uma dessas mesas achavam-se três viajantes que me pareceram estranhos.

Os homens, quando o xeque e o calculista deles se aproximaram, levantaram-se e fizeram o salã. Um deles parecia muito moço; era alto, magro, tinha os olhos claros e ostentava belíssimo turbante amarelo cor de ovo, com uma barra branca, onde cintilava uma esmeralda de rara beleza; os dois outros eram baixos, ombros largos e tinham a pele escura como beduínos da África.

Disse o xeque, apontando para os três muçulmanos:

— Aqui estão, ó Calculista, os três amigos. São criadores de carneiros em Damasco. Enfrentam agora um dos problemas mais curiosos que tenho visto. E esse problema é o seguinte:

— Como pagamento de pequeno lote de carneiros, receberam aqui, em Bagdá, uma partida de vinho, muito fino, composta de 21 vasos iguais, sendo:

6. O número sete é largamente citado na Bíblia e no Alcorão.

7 cheios
7 meio cheios e
7 vazios.

Querem, agora, dividir os 21 vasos de modo que cada um deles receba o mesmo número de vasos e a mesma porção de vinho.

Repartir os vasos é fácil. Cada um dos sócios deve ficar com sete vasos. A dificuldade, a meu ver, está em repartir o vinho sem abrir os vasos, isto é, conservando-os exatamente como estão. Será possível, ó Calculista, obter uma solução para este problema?

Beremiz, depois de meditar, em silêncio, durante dois ou três minutos, respondeu:

— A divisão dos 21 vasos, que acabais de apresentar, ó Xeque, poderá ser feita sem grandes cálculos. Vou indicar a solução que me parece mais simples.

Ao primeiro sócio caberão:

3 vasos cheios;
1 meio cheio;
3 vazios.

Receberá, desse modo, um total de 7 vasos.

Ao segundo sócio caberão:

2 vasos cheios;
3 meio cheios;
2 vazios.

Esse receberá, também, 7 vasos.

A cota que tocará ao terceiro sócio será igual à do segundo, isto é:

2 vasos cheios;
3 meio cheios;
2 vazios.

Segundo a partilha que acabo de indicar, cada sócio receberá 7 vasos e a mesma porção de vinho.

Com efeito. Chamemos 2 (dois) a porção de vinho de um vaso cheio, e 1 a porção de vinho do vaso meio vazio.

O primeiro sócio, de acordo com a partilha, receberá:

$$2+2+2+1$$

e essa soma é igual a 7 unidades de vinho. E cada um dos outros dois sócios receberá:

$$2+2+1+1+1$$

e essa soma é, também, igual a 7 unidades de vinho. E isso vem provar que a divisão, por mim sugerida, é certa e justa. O problema que, na aparência, é complicado, não oferece a menor dificuldade quando resolvido numericamente.[7]

A solução apresentada por Beremiz foi recebida com muito agrado, não só pelo xeque, como também pelos seus amigos damascenos.

— Por Alá! — exclamou o jovem da esmeralda. — Esse calculista é prodigioso! Resolveu de improviso um problema que nos parecia dificílimo.

E, voltando-se para o dono da hospedaria, perguntou em tom de muita camaradagem:

— Quanto gastamos aqui nesta mesa, ó Tripolitano?

Respondeu o interpelado:

7. Ver Apêndice.

— A despesa total, com a refeição, foi de trinta dinares!

O xeque Nasair declarou que queria pagar sozinho. Os damascenos não concordaram. Estabeleceu-se pequena discussão, troca de gentilezas, durante a qual todos falavam e protestavam ao mesmo tempo. Afinal ficou resolvido que o xeque Nasair, tendo sido convidado para a reunião, não deveria contribuir para a despesa. E cada um dos damascenos pagou dez dinares. A quantia total de 30 dinares foi entregue a um escravo sudanês e levada ao Tripolitano.

Momentos depois o escravo voltou para a mesa com um recado do Tripolitano.

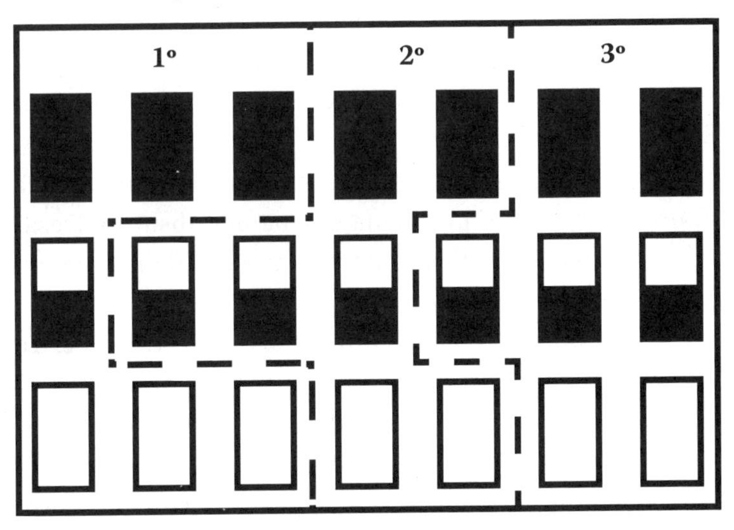

Esta figura indica, de modo muito simples, a solução do problema dos 21 vasos. Os sete retângulos da 1ª linha representam os vasos cheios. Os sete primeiros retângulos, a seguir, representam os vasos meio cheios, e os sete outros, os vasos vazios. Para que os três mercadores recebam o mesmo número de vasos e quantidade igual de vinho, a divisão deverá ser feita conforme indicam as linhas pontilhadas do desenho.

— O patrão enganou-se. A despesa foi, apenas, de 25 dinares. Ele mandou, pois, devolver estes cinco dinares!

— Esse Tripolitano — observou o xeque Nasair — tem a preocupação de ser honesto. E muito honesto.

E tomando as cinco moedas que haviam sido devolvidas, deu uma a cada dos damascenos e, assim, das cinco moedas, sobravam duas. Depois de consultar, com um olhar, os damascenos, o xeque deu, de presente, as duas moedas restantes ao escravo sudanês que os havia servido.

Nesse momento, o jovem da esmeralda levantou-se e, dirigindo-se muito sério aos amigos, assim falou:

— Com esse caso do pagamento dos trinta dinares de despesa, ao Tripolitano, surgiu uma trapalhada muito grande.

— Trapalhada? — estranhou o xeque. — Não percebo complicação alguma!...

— Sim — confirmou o damasceno. — Uma trapalhada muito séria, ou um problema que parece absurdo. Desapareceu um dinar! Vejam bem. Cada um de nós pagou 10 dinares e recebeu um dinar de volta. Logo, cada um de nós pagou, na verdade, 9 dinares. Somos três. É claro que o total pago foi de 27 dinares; somando-se esses 27 dinares com os dois dinares dados, pelo xeque, ao escravo sudanês, obtemos 29 dinares. Dos 30 que foram entregues ao Tripolitano, só 29 aparecem. Onde se encontra o outro dinar? Como desapareceu? Que mistério é esse?

O xeque Nasair, ao ouvir aquela observação, refletiu:

— É verdade, damasceno. A meu ver o teu raciocínio está certo. Estás com a razão. Se cada um dos amigos pagou 9 dinares, houve, é claro, um total de 27 dinares; com os 2 dinares dados ao escravo, resulta um total de 29 dinares. Para 30 (total do pagamento inicial), falta 1. Como explicar esse mistério?

Nesse momento Beremiz, que se mantinha calado, procurou intervir nos debates; e disse, dirigindo-se ao xeque:

— Há um engano no vosso cálculo, ó Xeque! A conta não deve ser feita desse modo. Dos trinta dinares pagos ao Tripolitano, pela refeição, temos:

25 ficaram com o Tripolitano;
3 foram devolvidos;
2 dados ao escravo sudanês.

Não desapareceu coisa alguma e não pode existir em conta tão simples a menor atrapalhação. Em outras palavras: dos 27 dinares pagos (9 vezes 3), 25 ficaram com o Tripolitano e 2 foram dados, de gratificação, ao sudanês!

Os damascenos, ao ouvirem a explicação de Beremiz, expandiram-se em estrepitosas gargalhadas.

— Pelos méritos do profeta![8] — exclamou o que parecia mais velho. — Esse calculista acabou com o mistério do dinar desaparecido e salvou o prestígio desta velha hospedaria! Iallah![9]

8. Refere-se a Maomé, fundador do Islamismo.

9. Deus seja louvado. Exaltado seja Deus.

9

No qual recebemos a visita de xeque Iezid, o Poeta. Estranha consequência das previsões de um astrólogo. A Mulher e a Matemática. Beremiz é convidado a ensinar Matemática a uma jovem. Situação singular da misteriosa aluna. Beremiz fala de seu amigo e mestre, o sábio Nô-Elin.

No último dia do Moharrã,[1] ao cair da noite, fomos procurados na hospedaria pelo prestigioso Iezid-Abul-Hamid, amigo e confidente do califa.

— Algum novo problema a resolver, ó Xeque? — perguntou sorridente Beremiz.

— Adivinhou! — respondeu o nosso visitante. — Vejo-me forçado a resolver sério problema. Tenho uma filha chamada Telassim,[2] dotada de viva inteligência e com acentuada inclinação para os estudos. Quando Telassim nasceu, consultei um astrológo famoso que sabia desvendar o futuro pela observação das nuvens e das estrelas. Esse mago afirmou que minha filha viveria perfeitamente feliz até aos 18 anos; a partir dessa idade seria ameaçada por um cortejo de lamentáveis desgraças. Havia, entretanto, meio de evitar que a infelicidade viesse esmagar-lhe tão profundamente o destino. Telassim — acrescentou o mago — deveria aprender as propriedades dos números e as múltiplas operações que com eles se efetuam. Ora, para dominar os números e fazer cálculos é preciso conhecer a ciência de Al-Kharismi, isto é, a Matemática. Resolvi, pois, assegurar para Telassim um futuro feliz, fazendo com que ela estudasse os mistérios do Cálculo e da Geometria.

Fez o generoso xeque ligeira pausa e logo prosseguiu:

— Procurei vários ulemás[3] da corte, mas não logrei encontrar um só que se sentisse capaz de ensinar Geometria a uma jovem de 17 anos. Um deles, dotado, aliás, de grande talento, tentou mesmo dissuadir-me de tal propósito. Quem quisesse ensinar canto a uma girafa, cujas cordas vocais não podem

1. Mês do calendário árabe.

2. Significa talismã.

3. Homem dotado de grande cultura. Sábio.

produzir o menor ruído, perderia o tempo e teria trabalho inútil. A girafa, por sua própria natureza, não poderá cantar. Assim, o cérebro feminino, explicou esse daroês,[4] é incompatível com as noções mais simples do Cálculo e da Geometria. Baseia-se essa incomparável ciência no raciocínio, no emprego de fórmulas e na aplicação de princípios demonstráveis com os poderosos recursos da Lógica e das Proporções. Como poderá uma menina, fechada no harém de seu pai, aprender fórmulas de Álgebra e teoremas da Geometria? Nunca! É mais fácil uma baleia ir a Meca, em peregrinação, do que uma mulher aprender Matemática. Para que lutar contra o impossível? Maktub![5] Se a desgraça deve cair sobre nós, faça-se a vontade de Alá!

O xeque, muito sério, levantou-se da poltrona em que se achava sentado, caminhou cinco ou seis passos para um lado e para o outro, e prosseguiu, com acentuada melancolia:

— O desânimo, o grande corruptor, apoderou-se de meu espírito ao ouvir essas palavras. Indo, porém, certa vez visitar o meu bom amigo Salém Nasair, o mercador, ouvi elogiosas referências ao novo calculista persa que aparecera em Bagdá. Falou-me do episódio dos oito pães. O caso, narrado com todas as minúcias, impressionoume. Procurei conhecer o calculista dos oito pães e fui, especialmente para esse fim, à casa do vizir Maluf. Fiquei pasmado com a original solução dada ao problema dos 257 camelos, reduzidos, afinal, a 256. Lembras-te?

E o xeque Iezid, erguendo o rosto e fitando, solene, o calculista, acrescentou:

4. Ver Glossário.

5. *Maktub*! (Estava escrito!) Particípio passado do verbo *Katab* (escrever). Expressão que exprime bem o fatalismo muçulmano.

— Serás capaz, ó Irmão dos Árabes,[6] de ensinar os artifícios do Cálculo à minha filha Telassim? Pagarei, pelas lições, o preço que exigires! Poderás, como tens feito até agora, continuar a exercer o cargo de secretário do vizir Maluf.

— Xeque generoso! — retorquiu prontamente Beremiz. — Não vejo motivo para deixar de atender ao vosso honroso convite. Em poucos meses poderei ensinar à vossa filha todas as operações algébricas e os segredos da Geometria. Erram duplamente os filósofos quando julgam medir com unidades negativas a capacidade intelectual da mulher. A inteligência feminina, quando bem orientada, pode acolher, com incomparável perfeição, as belezas e os segredos da ciência! Fácil tarefa seria desmentir os conceitos injustos formulados pelo daroês. Citam os historiadores vários exemplos de mulheres que se notabilizaram por sua cultura matemática. Em Alexandria, por exemplo, viveu Hipátia,[7] que lecionou a ciência do Cálculo a centenas de pessoas, comentou as obras de Diofante, analisou os dificílimos trabalhos de Apolônio e retificou todas as tabelas astronômicas então usadas. Não há motivo para temores e incertezas, ó Xeque! A vossa filha facilmente aprenderá a ciência de Pitágoras. *Inch'Allah*![8] Desejo apenas que determineis o dia e a hora em que deverei iniciar as lições.

Respondeu-lhe o nobre Iezid:

— O mais depressa possível! Telassim já completou 17 anos, e estou ansioso por livrá-la das tristes previsões do astrólogo.

E ajuntou:

— Devo, desde já, advertir-te de uma particularidade que

6. Amigo. Bom companheiro.

7. Matemática que viveu no século V. Por ser pagã foi cruelmente assassinada por cristãos fanáticos. Sua morte ocorreu no ano 415.

8. Queira Deus. O mesmo que oxalá!

não deixa de ter importância no caso. Minha filha vive encerrada no harém e jamais foi vista por homem algum estranho à nossa família. Só poderá, portanto, ouvir as tuas aulas de Matemática oculta por um espesso reposteiro com o rosto coberto por um haic e vigiada por duas escravas de confiança. Aceitas, ainda assim, minha proposta?

— Aceito-a com viva satisfação — respondeu Beremiz. — É evidente que o recato e o pudor de uma jovem valem mais que os cálculos e as fórmulas algébricas. Platão, filósofo, mandou colocar à porta de sua escola a seguinte legenda: "Não entre, se não é geômetra." Apresentou-se um dia um jovem de costumes libertinos e mostrou desejo de frequentar a Academia. O Mestre, porém, não o admitiu, dizendo: "A Geometria é toda pureza e simplicidade. O teu despudor ofende tão pura ciência." O célebre discípulo de Sócrates procurava, desse modo, demonstrar que a Matemática não se harmonizava com a depravação e com as torpes indignidades dos espíritos imorais. Serão, pois, encantadoras as lições dadas a essa jovem que não conheço e cujo rosto mimoso jamais terei a ventura de admirar. Se Alá quiser, poderei iniciar amanhã as aulas.

— Perfeitamente — concordou o xeque. — Um dos meus servos virá buscar-te amanhã (querendo Alá!) pouco depois da segunda prece. Uassalã!

Logo que o xeque Iezid deixou a hospedaria interpelei o calculista:

— Escuta, Beremiz. Há nisso tudo um ponto obscuro para mim. Como poderás, afinal, ensinar Matemática a uma jovem quando, na verdade, nunca estudaste essa ciência nos livros, nem frequentaste as lições dos ulemás? O cálculo que aplicas, com tanto brilho e oportunidade, como foi aprendido? Bem sei, ó Calculista, entre pastores persas, contando ovelhas, tâmaras e bandos de aves em voo pelo céu...

— Estás enganado, bagdali — reconsiderou, com serenidade, o calculista. — Ao tempo em que eu vigiava os rebanhos do meu amo, na Pérsia, conheci um velho dervixe chamado Nô--Elin. Certa vez, durante violenta tempestade de areia, salvei-o da morte. Desse dia em diante o bondoso ancião tornou-se meu amigo. Era um grande sábio e ensinou-me coisas úteis e maravilhosas.

Depois das lições que recebi desse mestre, sinto-me capaz de ensinar Geometria até o último livro do inesquecível Euclides, o alexandrino.[9]

9. A obra de Euclides — *Os elementos* —, bastante conhecida dos árabes, é dividida em várias partes chamadas *livros*.

10

No qual vamos ao palácio de Iezid. O rancoroso Tara-Tir não confia no calculista. Os pássaros cativos e os números perfeitos. O Homem que Calculava exalta a caridade do xeque. Ouvimos uma terna e arrebatadora canção.

Pouco passava da quarta hora quando deixamos a hospedaria e seguimos para a casa do poeta Iezid-Abul-Hamid.

Guiados por um servo amável e diligente, depressa atravessamos as ruas tortuosas do bairro de Muassã e fomos ter a um luxuoso palácio construído em meio de atraente parque.

Beremiz ficou encantado com a feição distinta que o rico Iezid procurava dar à sua residência. Erguia-se, ao centro, uma grande cúpula prateada onde os raios solares se desfaziam em belíssimos efeitos coloridos. Um grande pátio, fechado por forte portão de ferro ornado com todos os requintes da arte, dava entrada para o interior.

Um segundo pátio interno, tendo no centro bem ordenado jardim, dividia o edifício em dois pavilhões. Um deles era ocupado pelos aposentos particulares; o outro destinava-se aos salões de reunião, e à sala onde o xeque vinha muitas vezes cear em companhia de poetas, vizires e ulemás.

O palácio do xeque, apesar da ornamentação artística das colunas, era triste, sombrio. Quem reparasse apenas nas janelas gradeadas não poderia avaliar as pompas de arte de que todos os aposentos eram interiormente revestidos.

Larga varanda corrida com arcarias sustentadas por nove ou dez colunas esbeltas e delgadas de mármore branco, com arcos recortados em ferradura, com as paredes forradas de azulejos em relevo e pisos de mosaicos, comunicava os corpos dos dois pavilhões; e duas soberbas escadarias, também do mesmo mármore, conduziam ao jardim, onde flores de formas e perfumes diversos cingiam manso lago.

Um viveiro, cheio de pássaros, ornado também de rosáceas e arabescos de mosaico, parecia ser a peça mais importante do jardim. Havia ali aves de cantos exóticos de formas singulares, de plumagem rutilante; algumas, de peregrina beleza, pertenciam a espécies para mim desconhecidas.

Recebeu-nos o dono da casa com muita simpatia, vindo ao nosso encontro no jardim. Em sua companhia achava-se um jovem moreno, magro, de ombros largos, que não nos pareceu muito amável. Ostentava na cintura riquíssimo punhal, com cabo de marfim. Tinha o olhar penetrante, agressivo e o modo agitado como falava era assaz desagradável.

— É esse, então, o tal calculista? — observou, sublinhando as palavras com tom de menoscabo. — Admira-me a tua boa-fé, meu caro Iezid! Vais permitir que um mísero garopeiro[1] se aproxime e dirija a palavra à nobre e encantadora Telassim? Não faltava mais nada! Por Alá! És muito ingênuo, meu caro!

E rompeu numa gargalhada de riso injurioso.

Aquela grosseria revoltou-me. Tive ímpetos de repelir a descortesia daquele atrevido. Beremiz, porém, não se perturbou. Era bem possível até que o algebrista, naquele mesmo momento, descobrisse, nas palavras insultuosas que ouvira, novos elementos para fazer cálculos ou para resolver problemas.

O poeta, mostrando-se constrangido com a atitude indelicada de seu amigo, observou:

— Queira desculpar, senhor Calculista, o juízo precipitado que acaba de ser feito pelo meu primo el-hadj Tara-Tir.[2] Ele não o conhece, não avalia a sua capacidade matemática, e está, mais do que ninguém, preocupado com o futuro de Telassim.

— Não o conheço, é claro! Não me empenho grande coisa em conhecer os camelos que passam por Bagdá em busca de sombra e alfafa — replicou o iracundo Tara-Tir, com insultuoso desabrimento, sorrindo torvamente.

1. Pessoa (em geral cigano) que ganhava a vida exibindo serpentes encantadas nas feiras e nos bazares.

2. A expressão *el-hadj*, quando precede um nome, indica que a pessoa já fez peregrinação a Meca. Note-se, na dedicatória deste livro (pág. 5), que o nome de M. T. é precedido do qualificativo *el-hadj*.

E falando depressa, nervoso, atropelando as palavras:

— Posso provar, em poucos minutos, meu primo, que estás completamente iludido com relação à capacidade desse aventureiro. Se mo permitisses, eu o esborracharia com duas ou três banalidades que ouvi a um mestre-escola de Mossul.

— Decerto que sim — concordou Iezid. — Poderás interrogar o nosso Calculista e propor-lhe, agora mesmo, o problema que quiseres.

— Problema? Para quê? Queres meter em confronto o chacal que uiva e o ulemá que estuda? — atalhou o grosseirão. — Asseguro-te que não será necessário inventar problema para fazer voar a máscara ao sufita[3] ignorante. Chegarei ao resultado que pretendo sem fatigar a memória, mais rápido do que pensas.

E apontando para o grande viveiro, interpelou Beremiz, fixando em nós os olhos miúdos que dardejavam um brilho inexorável e frio:

— Responde-me, ó Calculista do Marreco,[4] quantos pássaros estão naquele viveiro?

Beremiz Samir cruzou os braços e pôs-se a observar com viva atenção o viveiro indicado. Seria prova de insânia, pensei, tentar contar tantos pássaros, que volitavam irrequietos por todos os lados, já substituindo-se nos poleiros com incrível ligeireza.

Ao cabo de alguns minutos o calculista voltou-se para o generoso Iezid e disse-lhe:

— Peço-vos, ó Xeque, mandeis imediatamente soltar três daqueles pássaros cativos. Será, desse modo, mais simples e mais agradável para mim anunciar o número total!

Aquele pedido tinha todos os visos de um disparate. É cla-

3. Pessoa que pertence a uma seita muçulmana na Pérsia.

4. Referia-se, por escárnio, à hospedaria onde se achava Beremiz.

ro que quem conta certo número contará, facilmente, esse número mais 3.

Iezid, intrigadíssimo, embora, com o inesperado pedido do calculista, fez vir o encarregado do viveiro e deu prontas ordens para que a solicitação do calculista fosse atendida: libertos da prisão, três lindos colibris voaram rápidos, pelo céu afora.

— Acham-se agora, neste viveiro — declarou Beremiz em tom pausado —, quatrocentos e noventa e seis pássaros!

— Admirável! — exclamou Iezid com entusiasmo. — É isso mesmo! Tara-Tir sabia disso! Eu mesmo já o havia informado! A minha coleção era meio milheiro; feito o desconto dos três que agora soltei e de um rouxinol, mandado para Mossul, ficam precisamente 496!

— Acertou por acaso — regougou, estuante de rancor, o terrível Tara-Tir.

O poeta Iezid, instigado pela curiosidade, perguntou a Beremiz:

— Pode dizer-me, amigo, por que preferiu contar 496, quando era tão simples contar 496 + 3, ou melhor, 499?

— Posso explicar-vos, ó Xeque, a razão de meu pedido — respondeu Beremiz com altivez. — Os matemáticos procuram sempre dar preferência aos números notáveis e evitar os resultados inexpressivos e vulgares. Ora, entre 499 e 496 não há que hesitar. O número 496 é um número perfeito e deve merecer nossa preferência.

— E que vem a ser um número perfeito? — perguntou o poeta. — Em que consiste a perfeição de um número?

— Número perfeito — elucidou Beremiz — é o que apresenta a propriedade de ser igual à soma de seus divisores — excluindo-se, é claro, dentre esses, o próprio número. Assim por exemplo, o número 28 apresenta 5 divisores, menores que 28:

1, 2, 4, 7, 14.

A soma desses divisores

1 + 2 + 4 + 7 + 14

é precisamente igual a 28. Logo, 28 pertence à categoria dos números perfeitos.

Divisores de 496 (menores que 496)
1
2
4
8
16
31
62
124
248
—
Soma 496

Divisores de 28 (menores que 28)
1
2
4
7
14
—
Soma 28

O número 6 também é perfeito. Os divisores de 6 (menores que 6) são:

1, 2 E 3

cuja soma é 6. Ao lado do 6 e do 28, pode figurar o 496 que é também, como já disse, número perfeito.

O rancoroso Tara-Tir, sem querer ouvir novas explicações,

despediu-se do xeque Iezid e retirou-se porejando raiva, pois não fora pequena a derrota sofrida ao investir contra a perícia do calculista. Ao passar por mim fitou-me acintoso, com ar de soberano desprezo.

— Peço-lhe, senhor Calculista — desculpou-se ainda o nobre Iezid —, que não se sinta ofendido com as palavras de meu primo Tara-Tir. Ele é de temperamento exaltado e depois que assumiu a direção das minas de sal, em Al-Derid, tornou-se irascível e violento. Já sofreu cinco atentados e várias agressões de escravos!

Era evidente que o inteligente Beremiz não queria causar constrangimento ao xeque. E respondeu, cheio de brandura e bondade:

— Dada a grande diversidade de temperamentos e caracteres, não nós é possível viver em paz com o próximo sem refrearmos a ira e cultivarmos a mansidão. Quando me sinto ferido pela injúria, procuro seguir o sábio preceito de Salomão:

Quem de repente se enfurece é estulto:
Quem é prudente dissimula o insulto.[5]

Jamais poderei esquecer os ensinamentos de meu bondoso pai. Sempre que me via exaltado, e desejoso de tomar desforço, dizia-me:

— Aquele que se humilha diante dos homens torna-se glorioso diante de Deus!

E, depois de pequena pausa, acrescentou:

— Sou, não obstante, muito grato ao rico Tara-Tir, e dele não posso guardar o menor ressentimento. Basta dizer que o seu turbulento primo me ofereceu o ensejo de praticar nove atos de caridade.

5. Provérbios, 12-16.

— Nove atos de caridade? — estranhou o xeque. — Como foi isso?

— Cada vez que pomos em liberdade um pássaro cativo — explicou o calculista — praticamos três atos de caridade. O primeiro para com a avezinha, restituindo-lhe a vida ampla, livre, que lhe havia sido roubada; o segundo para com a nossa consciência; o terceiro para com Deus!

— Quer dizer, então, que se eu der liberdade a todos os pássaros do viveiro...

— Asseguro-vos que praticareis, ó Xeque, mil quatrocentos e oitenta e oito atos de elevada caridade! — atalhou prontamente Beremiz, como se já soubesse, de cor, o número que exprimia o produto de 496 por 3.

Impressionado com essas palavras, o generoso Iezid determinou fossem postas em liberdade todas as aves que se achavam no viveiro.

Os servos e escravos quedaram estarrecidos ao ouvir aquela ordem. A coleção, organizada com paciência e trabalho, valia uma fortuna. Nela figuravam perdizes, colibris, faisões multicores, gaivotas negras, patos de Madagáscar, corujas do Cáucaso e várias andorinhas raríssimas da China e da Índia.

— Soltem os pássaros![6] — ordenou, novamente, o xeque, agitando a mão resplandecente de anéis.

As largas portas da tela metálica se abriram. Aos grupos, aos pares, os cativos deixavam a prisão e espalhavam-se pelos arvoredos do jardim.

— Cada ave com as asas estendidas é um livro de duas folhas aberto no céu. Feio crime é roubar ou destruir essa miúda biblioteca de Deus.[7]

6. A palavra "pássaro" é empregada para significar "ave cativa".

7. Este pensamento notável é de Humberto de Campos.

Começamos, nesse momento, a ouvir o fraseio de uma canção; a voz era tão terna e suave que se confundia com o trinado das leves andorinhas e com o arrulhar dos mansos pombos.

A princípio era uma melodia meiga e triste, repassada de melancolia e saudade como as endechas de um rouxinol solitário; animava-se, depois, num crescendo vivo, em gorjeios complicados, em trilos argentinos, entrecortados por gritos de amor que contrastavam com a serenidade da tarde, e ressoavam pelo espaço como folhas que o vento leva. Depois retornou ao primeiro tom triste e dolente, e parecia ecoar pelo jardim como um leve suspiro de viração:

Falasse eu as línguas dos homens e dos anjos
E não tivesse caridade,
Seria como o metal que soa,
Ou como o sino que tine,
Nada seria!...
Nada seria!...
Tivesse eu o dom da profecia,
E toda a ciência;
De maneira tal que transportasse os montes
E não tivesse caridade,
Nada seria!...
Nada seria!...

Distribuísse todos os meus bens para o sustento dos pobres,
E entregasse o meu corpo para ser queimado,
E não tivesse caridade,
Nada seria!...
Nada seria!...

O encanto daquela voz parecia envolver a Terra numa onda de indefinível alegria. O dia tornara-se até mais claro.

— É Telassim quem canta — explicou o xeque ao reparar na atenção com que ouvíamos embevecidos a estranha canção.

O passaredo em revoada enchia os ares com o chilrear alegre da liberdade. Não passavam de 496, mas davam a impressão de que eram dez mil!

— E de quem são esses belíssimos versos?[8] — indaguei.

O xeque respondeu:

— Não sei. Uma escrava cristã ensinou-os a Telassim e ela jamais os esqueceu. Devem ser de algum poeta nazareno.[9] Essa informação eu a ouvi, há dias, da filha de meu tio,[10] mãe de Telassim.

8. As palavras citadas, sob forma de versos, são da primeira epístola de São Paulo aos Coríntios. (Nota de Malba Tahan.)

9. Denominação que os árabes dão aos cristãos.

10. Filha de meu tio — Esposa.

Vamos aqui narrar como iniciou Beremiz o seu curso de Matemática. Uma frase de Platão. A unidade e Deus. Que é medir. As partes que formam a Matemática. A Aritmética e os Números. A Álgebra e as relações. A Geometria e as formas. A Mecânica e a Astronomia. Um sonho do rei Asad-Abu-Carib. A aluna invisível ergue a Alá uma prece.

O aposento em que devia Beremiz realizar o seu curso de Matemática era espaçoso. Dividia-o ao centro pesado e farto reposteiro de veludo vermelho que descia do teto até o chão. O teto era colorido e as colunas douradas. Achavam-se espalhadas sobre os tapetes grandes almofadas de seda com legendas do Alcorão.

Adornavam as paredes caprichosos arabescos azuis entrelaçados com lindos versos de Antar,[1] o poeta do deserto. Lia-se ao centro, entre duas colunas, em letras de ouro, em fundo azul, este dístico notável, colhido, certamente, na *moalakat*[2] de Antar:

"Quando Alá quer bem a um de seus servidores, abre para ele as portas da Inspiração."

Sentia-se um perfume suave de incenso e rosa. A tarde declinava.

As janelas de mármore polido estavam abertas e deixavam ver o jardim e os frondosos pomares que se estendiam até o rio pardacento e triste.

Uma escrava morena, tipo de formosura circassiana, mantinha-se de pé, imóvel, o rosto descoberto, junto à porta. As suas unhas eram pintadas de hena.

— A vossa filha já se acha presente? — perguntou Beremiz ao xeque.

— Decerto que sim — respondeu Iezid. — Mandei-a estar na outra parte deste aposento atrás do reposteiro, de onde poderá ver e ouvir; estará, porém, invisível para os que aqui se acham.

Realmente. As coisas eram dispostas de tal forma que nem mesmo se distinguia o vulto da jovem que ia ser discípula de Beremiz. Era bem possível que ela estivesse a observar-nos por algum pequenino orifício feito na peça de veludo, e para nós imperceptível.

1. Famoso poeta.

2. Ver Glossário.

— Penso que já é oportuno dar início à primeira lição — advertiu o xeque.

E indagou com meiguice:

— Estás atenta, Telassim, minha filha?

— Sim, meu pai — respondeu bem timbrada voz feminina do outro lado do aposento.

Diante disso preparou-se Beremiz para a aula: cruzou as pernas e sentou-se sobre uma almofada, no centro da sala; coloquei-me discretamente a um canto e acomodei-me como pude. A meu lado veio sentar-se o xeque Iezid.

Toda pesquisa de ciência é precedida pela prece. Foi, pois, com a prece que Beremiz iniciou:

— Em nome de Alá, Clemente e Misericordioso! Louvado seja o Onipotente criador de todos os mundos! A misericórdia é em Deus o atributo supremo! Nós Te adoramos, Senhor, e imploramos a Tua assistência! Conduze-nos pelo caminho certo! Pelo caminho dos esclarecidos e abençoados por Ti.[3]

Finda a prece, o calculista assim falou:

— Quando olhamos, senhora, para o céu em noite calma e límpida, sentimos que a nossa inteligência é franzina para conceber a obra maravilhosa do Criador. Diante dos nossos olhos pasmados, as estrelas são uma caravana luminosa a desfilar pelo deserto insondável do infinito, as nebulosas imensas e os planetas rolam, segundo leis eternas, pelos abismos do espaço! Uma noção, entretanto, surge logo, bem nítida, em nosso espírito: a noção de *número*.

Viveu outrora, na Grécia, quando esse país era dominado pelo paganismo, um filósofo notável chamado Pitágoras[4] (Alá,

3. Primeira surata do Alcorão.

4. Um muçulmano ortodoxo, quando se refere, com certa ênfase, a um sábio, acrescenta a fórmula clássica: *Alá, porém, é mais sábio.*

porém, é mais sábio!). Consultado por um discípulo sobre as forças dominantes dos destinos dos homens, o grande sábio respondeu: "Os números governam o mundo!"

Realmente. O pensamento mais simples não pode ser formulado sem nele se envolver, sob múltiplos aspectos, o conceito fundamental do número. O beduíno que no meio do deserto, no momento da prece, murmura o nome de Deus tem o espírito dominado por um número: a *Unidade*! Sim, Deus, segundo a verdade expressa nas páginas do Livro Santo e repetida pelos lábios do Profeta, é Um, Eterno e Imutável! Logo, o número aparece no quadro da nossa inteligência como o símbolo do Criador.

Do número, senhora, que é a base da razão e do entendimento, surge outra noção de indiscutível importância: é a noção de *medida*.

Medir, senhora, é comparar. Só são, entretanto, suscetíveis de medida as grandezas que admitem um elemento como base de comparação. Será possível medir-se a extensão do espaço? De modo nenhum. O espaço é infinito, e sendo assim, não admite termo de comparação. Será possível avaliar a Eternidade? De modo nenhum. Dentro das possibilidades humanas o tempo é sempre infinito, e no cálculo da Eternidade não pode o efêmero servir de unidade a avaliações.

Em muitos casos, entretanto, ser-nos-á possível representar uma grandeza que não se adapta aos sistemas de medidas por outra que pode ser avaliada com segurança e vigor. Essa permuta de grandeza, visando a simplificar os processos de medida, constitui o objeto principal de uma ciência que os homens denominam *Matemática*.[5]

Para atingir o seu objetivo, precisa a Matemática estudar os números, suas propriedades e transformações. Nessa parte ela

5. No tempo de Beremiz a ciência teria a denominação de Geometria.

toma o nome de Aritmética. Conhecidos os números é possível aplicá-los na avaliação das grandezas que variam ou que são desconhecidas, mas que se apresentam expressas por meio de relações e fórmulas. Temos assim a Álgebra. Os valores que medimos no campo da realidade são representados por corpos materiais ou por símbolos; em qualquer caso, entretanto, esses corpos ou símbolos são dotados de três atributos: forma, tamanho e posição. Importa, pois, que estudemos tais atributos. E esse estudo vai constituir o objeto da Geometria.

Interessa-se, ainda, a Matemática, pelas leis que regem os movimentos e as forças, leis que vão aparecer na admirável ciência que se denomina Mecânica.

A Matemática põe todos os seus preciosos recursos a serviço de uma ciência que eleva a alma e engrandece o homem. Essa ciência é a Astronomia.

Falam alguns nas Ciências Matemáticas, como se a Aritmética, a Álgebra e a Geometria formassem partes inteiramente distintas. Puro engano!

Todas se auxiliam mutuamente, se apoiam umas nas outras e, em certos pontos, se confundem.

A Matemática, senhora, que ensina o homem a ser simples e modesto, é a base de todas as ciências e de todas as artes.

Um episódio ocorrido com o famoso monarca iemenita[6] é bastante expressivo.

Vou narrá-lo.

Asad-Abu-Carib,[7] rei do Iêmen, ao repousar, certa vez, na larga varanda de seu palácio, sonhou que encontrara sete jovens que caminhavam por uma estrada. Em certo momento, vencidas

6. Natural do Iêmen.

7. Ver Índice no final deste livro.

pela fadiga e pela sede, as jovens pararam sob o sol causticante do deserto. Surgiu, nesse momento, uma famosa princesa que se aproximou das peregrinas, trazendo-lhes um grande cântaro cheio de água pura e fresca. A bondosa princesa saciou a sede que torturava as jovens e estas, reanimadas, puderam reiniciar a jornada interrompida.

Ao despertar, impressionado com esse inexplicável sonho, determinou Asad-Abu-Carib viesse à sua presença um astrólogo famoso, chamado Sanib, e consultou-o sobre a significação daquela cena a que ele — rei poderoso e justo — assistira no mundo das Visões e Fantasias. Disse Sanib, o astrólogo: "Senhor! As sete jovens que caminhavam pela estrada eram as artes divinas e as ciências humanas: a Pintura, a Música, a Escultura, a Arquitetura, a Retórica, a Dialética e a Filosofia. A princesa prestativa que as socorreu simboliza a grande e prodigiosa Matemática." "Sem o auxílio da Matemática — prosseguiu o sábio — as artes não podem progredir e todas as outras ciências perecem." Impressionado com tais palavras, determinou o rei que se organizassem em todas as cidades, oásis e aldeias do país centros de estudo de Matemática. Hábeis e eloquentes ulemás, por ordem do soberano, iam aos bazares e caravançarás lecionar Aritmética aos caravaneiros e beduínos. Ao termo de poucos meses, verificou que o país era agitado por um surto de incomparável prosperidade. Paralelamente ao progresso da ciência, cresciam os recursos materiais; as escolas viviam repletas; o comércio desenvolvia-se de maneira prodigiosa; multiplicavam-se as obras de arte; erguiam-se monumentos; as cidades viviam repletas de ricos forasteiros e curiosos.

O país do Iêmen teria aberto as portas do Progresso e da Riqueza se não viesse a fatalidade (Maktub!) pôr termo àquele fervilhar de trabalho e prosperidade. O rei Asad-Abu-Carib cerrou os olhos para o mundo e foi levado pelo impiedoso Asrail[8] para o céu de Alá. A morte do soberano fez abrir dois túmulos: um deles acolheu o corpo do glorioso monarca e ao outro foi atirada a cultura científica do povo. Subiu ao trono um príncipe vaidoso, indolente e de acanhados dotes intelectuais. Preocupavam-no mais os divertimentos do que os problemas administrativos do país. Poucos meses decorridos, todos os serviços públicos estavam desorganizados, as escolas fechadas e os artistas e ulemás forçados a fugir sob a ameaça dos perversos e ladrões. O tesouro público foi criminosamente dilapidado em ociosos festins e desenfreados banquetes. E o país, levado à ruína pelo desgoverno, foi atacado por inimigos ambiciosos e facilmente vencido.

A história de Asad-Abu-Carib, senhora, vem provar que o progresso de um povo se acha ligado ao desenvolvimento dos estudos matemáticos.[9] No Universo tudo é número e medida. A Unidade, símbolo do Criador, é o princípio de todas as coisas, que não existem senão em virtude das imutáveis proporções e relações numéricas. Todos os grandes enigmas da vida podem ser reduzidos a simples combinações de elementos variáveis ou constantes, conhecidos ou incógnitos.

Para que possamos compreender a Ciência, precisamos tomar por base o número. Vejamos como estudá-lo, com a ajuda de Alá, Clemente e Misericordioso!

— Uassalã!

Com essas palavras calou-se o calculista, dando por finda a sua primeira aula de Matemática.

8. Anjo da Morte. O rei Asad-Abu-Carib foi assassinado por conspiradores. Depois de sua morte subiu ao trono um aventureiro chamado Rébia-Ben-Nasr. O episódio do sonho é lendário.

9. Cabe lembrar aqui a frase notável de Napoleão: "O progresso de um povo depende, exclusivamente, do desenvolvimento da cultura matemática."

Ouvimos, então, com agradável surpresa, a aluna, que o reposteiro tornava invisível, pronunciar a seguinte prece.

— Ó Deus Onipotente, Criador do Céu e da Terra, perdoa a pobreza, a pequenez, a puerilidade de nossos corações. Não escutes as nossas palavras, mas sim os nossos gemidos inexprimíveis; não atendas às nossas petições, mas ao clamor de nossas necessidades. Quanta vez pedimos aquilo que possuímos e deixamos desaproveitado! Quanta vez sonhamos possuir aquilo que nunca poderá ser nosso!

Ó Deus, nós Te agradecemos por este mundo, nosso grande lar; por sua vastidão e riqueza, e pela vida multiforme que nele estua e de que todos fazemos parte. Louvamos-Te pelo esplendor do céu azul e pela brisa da tarde, e pelas nuvens rápidas e pelas constelações nas alturas. Louvamos-Te pelos oceanos imensos, pela água corrente, pelas montanhas eternas, pelas árvores frondosas e pela relva macia em que os nossos pés repousam. Nós Te agradecemos os múltiplos encantos com que podemos sentir, em nossa alma, as belezas da Vida e do Amor!

Ó Deus, Clemente e Misericordioso, perdoa a pobreza, a pequenez, a puerilidade de nossos corações.

12

No qual Beremiz revela grande interesse por um brinquedo de corda. A curva do maraçá e as aranhas. Pitágoras e o círculo. Encontramos Harim Namir.
O problema dos 60 melões. Como o vequil perdeu a aposta. A voz do muezim cego chama os crentes para a oração do Mogreb.

Ao deixarmos o lindo palácio do poeta Iezid pouco faltava para a hora do asr.[1] Ao passarmos pelo marabu de Ramih ouvi o suave gorjear de pássaros entre os ramos de uma velha figueira.

— Eis, com certeza, um dos libertos de hoje — observei. — É um conforto ouvi-lo traduzir, nas melodias do canto, a alegria da liberdade conquistada!

Beremiz, porém, naquele momento não se interessava pelo canto da passarada que esvoaçava entre os ramos, ao pôr do sol. Absorvia-lhe a atenção um grupo de meninos que se divertiam na rua a pequena distância. Dois dos pequenos suspendiam, pelas extremidades, um pedaço de corda fina que devia ter quatro ou cinco côvados[2] de comprimento. Os outros esforçavam-se por transpor, de um salto, a corda colocada ora mais baixo, ora mais alto, conforme a agilidade do saltador.

— Repara na corda, ó Bagdali — disse o calculista segurando-me pelo braço. — Observa a curva perfeita. Não achas o caso digno de estudo?

— Que caso? Que curva? — exclamei. — Não vejo nada de extraordinário naquele ingênuo e banal brinquedo de crianças que aproveitam as últimas horas do dia para um recreio inocente.

— Pois, meu amigo — tornou Beremiz —, convence-te de que os teus olhos são cegos para as maiores belezas e maravilhas da natureza. Quando os meninos erguem a corda, segurando-a pelas extremidades, e deixando-a cair livremente sob a ação do próprio peso, ela forma uma curva que deve ser notável, pois surge como resultante de forças naturais. Já tive ocasião de observar essa curva — que o sábio Nô-Elin cha-

1. Prece da tarde. Ver Glossário.

2. Antiga medida de comprimento. Equivalia a três palmos mais ou menos.

mava maraçã[3] — nas teias e na forma que apresenta a corcova de certos dromedários! Terá tal curva alguma analogia com as derivadas da parábola? Futuramente, se Alá quiser, os geômetras descobrirão meios de traçar essa curva, ponto por ponto, e estudar-lhe-ão com absoluto rigor todas as propriedades.

— Há porém — prosseguiu — muitas outras curvas mais importantes. Em primeiro lugar devo citar o círculo.[4] Pitágoras, filósofo e geômetra grego, considerava o círculo como a curva mais perfeita ligando, assim, o círculo à perfeição. E o círculo, sendo a mais perfeita, é, entre todas, a que tem o traçado mais simples.

Beremiz, nesse momento, interrompendo a dissertação apenas iniciada, sobre as curvas, apontou para um rapaz que se achava a pequena distância e gritou:

— Harim Namir!

O jovem voltou rápido o rosto e encaminhou-se alegre ao nosso encontro. Verifiquei logo que se tratava de um dos três irmãos que encontráramos a discutir, certo dia, no deserto, por causa de uma herança de 35 camelos — partilha complicada, cheia de terços e nonos, que Beremiz resolveu por meio de um artifício curioso e a que já tive ocasião de aludir.

— Mach-Allah! — exclamou Harim, dirigindo-se a Beremiz. — Foi o destino que mandou agora o grande calculista ao nosso encontro. Meu irmão Hamed acha-se atrapalhado com uma conta de 60 melões que ninguém sabe resolver.

E Harim levou-nos até uma pequena casa, onde se achava o seu irmão Hamed Namir em companhia de vários mercadores.

3. Essa curva é hoje perfeitamente conhecida. Chama-se *catenária*. A tradução de *maraçã* ou *maraçon*, segundo o dicionarista Frei João de Souza, é *corda* ou *cordel*. Vem do verbo árabe *maraça*, que significa "ligar com um cordel". Deu origem à palavra *baraço*.

4. Em linguagem vulgar, ou mesmo nas obras literárias, a palavra *círculo* designa a curva, isto é, a circunferência.

Mostrou-se Hamed muito satisfeito ao ver Beremiz e, voltando-se para os mercadores, disse-lhes:

— Este homem que acaba de chegar é um grande matemático. Graças ao seu valioso auxílio já conseguimos obter a solução perfeita de um problema que nos parecia impossível: dividir 35 camelos por três pessoas! Estou certo de que ele poderá explicar, em poucos minutos, a diferença encontrada na venda dos 60 melões.

Era preciso que Beremiz fosse minuciosamente informado do caso. Um dos mercadores tomou a palavra e narrou o seguinte:

— Os dois irmãos Harim e Hamed encarregaram-se de vender no mercado duas partidas de melões. Harim entregou-me 30 melões, que deviam ser vendidos à razão de 3 por 1 dinar; Hamed entregou-me, também, 30 melões para os quais estipulou preço mais caro, isto é, à razão de 2 por 1 dinar. Era claro que, efetuada a venda, Harim devia receber 10 e seu irmão 15 dinares. O total de venda seria, portanto, de 25 dinares.

Ao chegar, porém, à feira, uma dúvida surgiu-me no espírito.

Se eu começar a venda pelos melões mais caros, pensei, perderei a freguesia; se iniciar o negócio pelos melões mais baratos, encontrarei, depois, dificuldade em vender os outros trinta. O melhor que tenho a fazer (a única solução para o caso) é vender as duas partidas ao mesmo tempo.

Tendo chegado a essa conclusão reuni os 60 melões e comecei a vendê-los aos grupos de 5 por 2 dinares. O negócio era justificado por um raciocínio muito simples:

— Se eu devia vender 3 por 1 e depois 2 também por 1 dinar, seria mais simples vender, logo, 5 por 2 dinares.

Vendidos os 60 melões em 12 lotes de cinco cada um, apurei 24 dinares.

Como pagar aos dois irmãos, se o primeiro devia receber 10 e o segundo, 15 dinares?

Havia uma diferença de 1 dinar; não sei como explicar, pois o negócio foi feito, como disse, com o máximo cuidado.

Vender 3 por 1 dinar e, depois, vender 2 por 1 não é a mesma coisa que vender logo 5 por 2 dinares?

— O caso não teria, afinal, importância alguma — interveio Hamed Namir — se não fosse a intervenção absurda do vequil[5] que superintende a feira. Esse vequil, ouvido sobre o caso, não soube explicar a diferença na conta, e apostou 5 dinares como essa diferença era proveniente de falta de um melão que fora roubado por ocasião da venda.

— O vequil não tem razão alguma — acudiu Beremiz — e deve ser obrigado a pagar a aposta. A diferença a que chegou o vendedor resultou do seguinte:

A partida de Harim compunha-se de 10 lotes de 3 melões cada um. Cada lote devia ser vendido por 1 dinar. O total da venda seria de 10 dinares.

A partida de Hamed compunha-se de 15 lotes (com 2 melões cada um) que, vendido a 1 dinar cada lote, dariam o total de 15 dinares.

Reparem que o número de lotes de uma partida não é igual ao número de lotes da outra.

Para vender os melões em lotes de cinco cada, só os 10 primeiros lotes poderiam ser vendidos à razão de 5 por 2 dinares; vendidos esses 10 lotes, restam ainda 10 melões que pertencem exclusivamente à partida de Hamed e que, sendo de preço mais elevado, deveriam ser vendidos à razão de 2 por 1 dinar.

A diferença de um resultou, pois, da venda dos 10 últimos melões! Não houve roubo algum! Da desigualdade de preço

5. Intendente. Encarregado da administração de um bairro.

entre as partilhas resultou o prejuízo de 1 dinar, que se verificou no resultado final.

Nesse momento fomos obrigados a interromper a reunião. A voz do muezim, cujo eco vibrava no espaço, chamava os fiéis para a prece da tarde!

— Hai al el-salah.[6] Hai al el-salah!

Cada um de nós procurou, sem perda de tempo, fazer segundo determina o Livro Santo, a *guci* do ritual.[7]

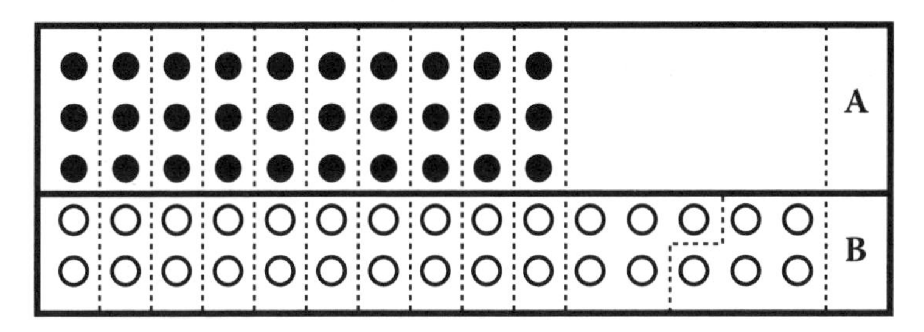

Eis uma figura que esclarece o problema dos 60 melões. Em A estão representados os 30 melões que deviam ser vendidos à razão de 3 por dinar; em B os 30 melões mais caros, cujo preço era de 2 por dinar. Como o gráfico nos mostra, só há dez lotes de cinco cada um (sendo 3 de A e 2 de B) que podem ser vendidos, sem prejuízo, à razão de 2 dinares cada um.

O sol já se achava na linha do horizonte. Era chegada a hora do *mogreb*.

Da terceira almenara da mesquita de Omar, o muezim cego, com voz pausada e rouca, chamava os crentes à oração:

— Alá é grande e Maomé, o profeta, é o verdadeiro enviado de Deus! Vinde à prece, ó muçulmanos! Vinde à prece! Lembrai-vos de que tudo é pó, exceto Alá!

Os mercadores, precedidos por Beremiz, estenderam os seus tapetes coloridos, retiraram as sandálias, voltaram-se

6. Preparai-vos para a prece! Em geral o muezim acrescentava: "Lembrai-vos de que tudo é pó, exceto Alá!"

7. Ablução do ritual.

em direção da Cidade Santa e exclamaram:

— Alá, Clemente e Misericordioso! Louvado seja o Onipotente Criador dos mundos visíveis e invisíveis! Conduz-nos pelo caminho certo, pelo caminho daqueles que são amparados e abençoados por ti![8]

8. São essas as primeiras palavras do Alcorão.

Que trata da nossa visita ao palácio do califa. Beremiz é recebido pelo rei. Os poetas e a amizade. A amizade entre os homens e a amizade entre os números. Números amigos. O califa elogia o Homem que Calculava. É exigida, em palácio, a presença de um calígrafo.

Quatro dias depois, pela manhã, fomos informados de que seríamos recebidos em audiência solene pelo califa Abul-Abas-Ahmed Al-Motacém Billah, Emir dos Crentes, Vigário de Alá.[1] Aquela comunicação, tão grata para qualquer muçulmano, era, não só por mim, como também por Beremiz, ansiosamente esperada.

É bem possível que o soberano, ao ouvir o xeque Iezid narrar alguma das proezas praticadas pelo exímio matemático, tivesse mostrado interesse em conhecer o Homem que Calculava. Não se pode explicar de outro modo a nossa presença na corte, entre as figuras de mais prestígio da alta sociedade de Bagdá.

Fiquei deslumbrado ao entrar no rico palácio do Emir.

Longas arcarias sobrepostas, formando curvas em harmoniosas concordâncias, e sustentadas por altas e delgadas colunas geminadas, eram, nas porções de paredes que dominavam os pontos de nascença, ornamentadas por finíssimos mosaicos. Pude notar que esses mosaicos eram formados de fragmentos de louça branca e vermelha, alternadamente com faias de estuque.

Os tetos dos salões principais eram forrados de azul e ouro; as paredes de todos os compartimentos apresentavam-se cobertas de azulejos em relevo e os pavimentos, de mosaico.

Os reposteiros, as tapeçarias, os divãs, tudo enfim quanto constituía a mobília do palácio demonstrava a magnificência inexcedível de um príncipe das lendas hindus.

Lá fora, nos jardins, reinava a mesma pompa, realçada pela mão da Natureza, perfumada por mil odores diversos, alcatifada de verdes alfombras, banhada pelo rio, refrescada por inúmeras fontes de mármore branco, junto às quais um milheiro de escravos trabalhava sem cessar.

1. São vários os títulos honrosos conferidos ao rei ou ao califa: Vigário de Alá, Comendador dos Crentes, Xeque do Islã, Rei dos Árabes, Emir dos Crentes etc.

Fomos conduzidos ao divã das audiências por um dos auxiliares do vizir Ibraim Maluf.

Avistamos, ao chegar, o poderoso monarca sentado em riquíssimo trono de marfim e veludo. Perturbou-me, de certo modo, a beleza estonteante do grande salão. Todas as suas paredes eram adornadas com inscrições admiráveis feitas pela arte caprichosa de um calígrafo genial. As legendas apareciam, em relevo, sobre fundo azul-claro em letras pretas e vermelhas. Notei que eram versos dos mais brilhantes poetas de nossa terra! Jarras de flores por toda parte, flores desfolhadas sobre coxins, sobre alcatifas, ou em salvas de ouro e prata primorosamente cinzeladas.

Ricas e numerosas colunas ostentavam-se ali, orgulhosas, com os seus capitéis e pedestais, elegantemente ornadas pelo cinzel dos artistas árabes de Espanha, que sabiam, como ninguém, multiplicar, engenhosamente, as combinações das figuras geométricas associadas a folhas e flores de tulipas, de açucenas e de mil plantas diversas, numa harmonia maravilhosa e de inexcedível beleza.

Achavam-se presentes sete vizires, dois cádis, vários ulemás e diversos outros dignitários ilustres e de alto prestígio.

Ao honrado Maluf cabia fazer a nossa apresentação. No desempenho dessa tarefa o vizir, com os cotovelos colocados à cintura, as mãos magras espalmadas para fora, assim falou:

— Para atender a vosso pedido, ó Rei do Tempo, determinei que comparecessem hoje a esta excelsa audiência o calculista Beremiz Samir, meu atual secretário, e seu amigo Hank Tade-Maiá, auxiliar de escrita e funcionário do palácio.

— Sede bem-vindos, ó muçulmanos! — respondeu em tom simples e amistoso o sultão. — Admiro os sábios. Um matemático, sob o céu deste país, contará sempre com a minha simpatia e, se preciso for, com a minha decidida proteção.

— Alá badique, iá sidi![2] — exclamou Beremiz, inclinando-se diante do rei.

Fiquei imóvel, a cabeça inclinada, os braços cruzados, pois não tendo sido atingido pelos elogios do soberano, não podia ter a honra de dirigir-lhe o salã.

O homem que tinha nas mãos o destino do povo árabe parecia bondoso e despido de preconceitos. Tinha o rosto magro, crestado do sol do deserto, e avincado de rugas extemporâneas. Ao sorrir, o que fazia com relativa frequência, mostrava os dentes claros e regulares. Trajava com relativa simplicidade. Trazia à cintura, sob a faixa de seda, um lindo punhal, cujo cabo era adornado de preciosa gema. O seu turbante era verde com pequeninas barras brancas. A cor verde — como todos sabem — caracteriza os descendentes de Maomé, o Santo Profeta (com ele a paz e a glória!).

— Muitas coisas importantes pretendo resolver na audiência de hoje — começou o califa. — Não quero, porém, iniciar os trabalhos e discutir os altos problemas políticos, sem receber uma prova clara e precisa de que o matemático persa, recomendado pelo meu amigo, o poeta Iezid, é, realmente, um grande e hábil calculista.

Interpelado desse modo pelo glorioso monarca, Beremiz sentiu-se no dever imperioso de corresponder, com brilhantismo, à confiança que o xeque Iezid nele depositara.

Dirigindo-se, pois, ao sultão, assim falou:

— Não passo, ó Comendador dos Crentes, de rude pastor que acaba de ser distinguido com a vossa honrosa atenção.

E, após curta pausa:

— Acreditam, entretanto, os generosos amigos, ser justo incluir o meu nome entre os calculistas. Sinto-me lisonjeado com tão

2. Deus vos conduza, senhor!

alta distinção. Penso, porém, que os homens são, em geral, bons calculistas. Calculista é o soldado que em campanha avalia com o olhar a distância de uma parasanga;[3] calculista é o poeta que conta as sílabas e mede a cadência dos versos; calculista é o músico que aplica na divisão dos compassos as leis da perfeita harmonia; calculista é o pintor que traça as figuras segundo proporções invariáveis para atender os princípios da perspectiva; calculista é o humilde esteireiro que dispõe, um por um, os cem fios de seu trabalho — todos, enfim, ó Rei, são bons e hábeis calculistas!

E, depois de correr os olhos pelos nobres que rodeavam o trono, Beremiz prosseguiu:

— Noto, com infinita alegria, que estais rodeado de ulemás e doutores. Vejo, à sombra de vosso trono poderoso, homens de valor que cultivam os estudos e engrandecem a ciência. A companhia dos sábios, ó Rei, é para mim o mais caro tesouro! O homem só vale pelo que sabe. Saber é poder. Os sábios educam pelo exemplo e nada há que avassale o espírito humano mais suave e profundamente do que o exemplo. Não deve, porém, o homem cultivar a ciência senão para utilizá-la na prática do bem. Sócrates, filósofo grego, afirmava com o peso da sua autoridade:

"Só é útil o conhecimento que nos faz melhores."

Sêneca, outro pensador famoso, indagava descrente:

"Que importa saber o que é a linha reta quando não se sabe o que seja retidão?"

Permiti, pois, ó Rei generoso e justo, que eu renda a minha desvaliosa homenagem aos doutores e ulemás que se acham neste divã!

Neste ponto o calculista fez uma pausa muito rápida e logo recomeçou, eloquente, em tom solene:

3. Medida itinerária dos antigos persas. Valia 5.250 metros.

— Nos trabalhos de cada dia, observando as coisas que Alá tirou do Não-ser para a realidade do Ser, aprendi a avaliar os números e transformá-los por meio de regras práticas e seguras. Sinto-me, entretanto, em dificuldade para apresentar a prova que acabais de exigir. Confiando, porém, na vossa proverbial generosidade, cumpre-me dizer-vos que não vejo, neste rico divã, senão demonstrações admiráveis e eloquentes de que a Matemática existe por toda parte. Adornam as paredes deste belo salão vários versos que encerram precisamente um total de 504 palavras, sendo uma parte dessas palavras traçada em caracteres pretos e a restante em caracteres vermelhos! O calígrafo que desenhou estes versos fazendo a decomposição das 504 palavras demonstra ter tanto talento e imaginação quanto os poetas que escreveram essas imortais poesias!

— Sim, ó Rei magnânimo! — prosseguiu Beremiz. — E a razão é simples. Encontro nos versos incomparáveis que enfeitam este esplêndido divã grandes elogios sobre a *Amizade*. Posso reler, ali, perto da coluna, a frase inicial da célebre *cassida* de Mohalhil:[4]

> *Se os meus amigos me fugirem, muito infeliz*
> *serei, pois de mim fugirão todos os tesouros.*

Um pouco abaixo encontro o eloquente pensamento de Tarafa:

> *O encanto da vida depende unicamente das*
> *boas amizades que cultivamos.*

À esquerda, destaca-se o incisivo conceito de Labid, da tribo de Amir-Ibn-Sassoa:

4. Poeta árabe do VI século. *Cassida* é um poema.

A boa amizade é para o homem o que a água
pura e límpida é para o beduíno sedento.

Sim, tudo isto é sublime, profundo e eloquente. A maior beleza, porém, reside no engenhoso artifício empregado pelo calígrafo para demonstrar que a amizade que os versos exaltam não existe só entre os seres dotados de vida e sentimento! A Amizade apresenta-se, também, até entre números!

— Como descobrir — perguntareis, certamente — entre os números aqueles que estão presos pelos laços da amizade matemática? De que meios se utiliza o geômetra para apontar, na série numérica, os elementos ligados pela estima?

Em poucas palavras poderei explicar em que consiste o conceito de números amigos, em Matemática.

Consideremos, por exemplo, os números 220 e 284.

O número 220 é divisível exatamente pelos seguintes números:

1, 2, 4, 5, 10, 11, 20, 22, 44, 55 E 110.

São esses os divisores de 220 menores que 220.

O número 284 é — por sua vez — divisível, exatamente, pelos seguintes números:

1, 2, 4, 71 E 142.

São esses os divisores de 284 menores que 284.

Pois bem. Há entre esses números coincidência realmente notável. Se somarmos os divisores de 220, acima indicados, vamos obter uma soma igual a 284; se somarmos os divisores de 284 o resultado será, precisamente, 220.

Divisores de 220

1
2
4
5
10
11
20
22
44
55
110
—
Soma 284

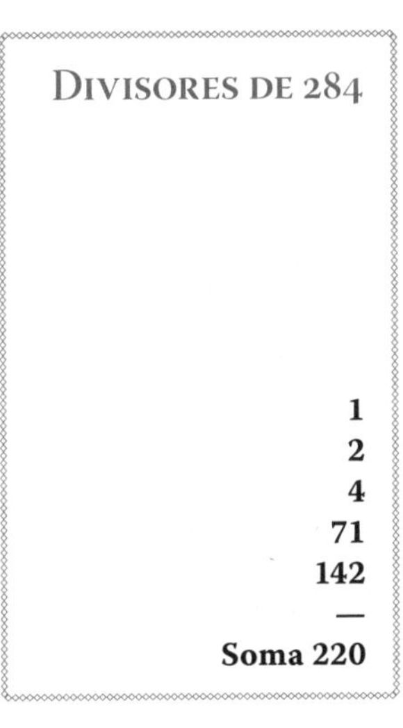

Divisores de 284

1
2
4
71
142
—
Soma 220

Dessa relação os matemáticos chegaram à conclusão de que os números 220 e 284 são "amigos," isto é, cada um deles parece existir para servir, alegrar, defender e honrar o outro!

E o calculista concluiu:

— Pois bem, ó Rei generoso e justo; observei que as 504 palavras que formam o elogio poético da Amizade foram escritas da seguinte forma:

220 em caracteres pretos e 284 em caracteres vermelhos! E 220 e 284 são, como já expliquei, números amigos!

E reparai, ainda, numa relação não menos impressionante. As 50 palavras completam, como é fácil verificar, 32 legendas diferentes. Pois bem. A diferença entre 284 e 220 é 64, número que, além de ser quadrado e cubo, é precisamente igual ao dobro do número de legendas desenhadas.

O infiel dirá que se trata de simples coincidência. Aquele, porém, que acredita em Deus e tem a glória de seguir os ensinamentos do Santo Profeta Maomé (com ele a oração e a paz!) sabe que as chamadas coincidências não seriam possíveis se

Alá não as escrevesse no livro do Destino! Afirmo, pois, que o calígrafo, ao decompor o número 504 em duas parcelas (220 e 284), escreveu sobre a amizade um poema que enleva todos os homens de alma e espírito esclarecido!

Ao ouvir as palavras do calculista o califa ficou extasiado. Era espantoso que aquele homem contasse, num relance, as 504 palavras dos 30 versos e, ao contá-las, verificasse logo que havia 220 em preto e 284 em letras vermelhas!

— As tuas palavras, ó Calculista — declarou o rei —, trouxeram-me a certeza de que és em verdade um geômetra de alto porte. Fiquei encantado com essa interessante relação que os algebristas denominam de "amizade numérica", e estou, agora, interessado em descobrir qual foi o calígrafo que escreveu, ao fazer a decoração deste divã, os versos que servem de adorno a estas paredes. É fácil verificar se a decomposição das 504 palavras, em parcelas que correspondem a números amigos, foi feita de propósito ou se resultou de um capricho do Destino (obra exclusiva de Alá, o Exaltado!).

E fazendo aproximar-se do trono um dos seus secretários, o sultão Al-Motacém perguntou-lhe:

— Lembras-te, ó Nuredim Zarur, do calígrafo que trabalhou neste palácio?

— Conheço-o muito bem, ó Rei — respondeu prontamente o xeque. — Reside junto à mesquita de Otmã.

— Traze-o, pois, aqui, ó Sejid,[5] o mais depressa possível! — ordenou o califa. — Quero interrogá-lo.

— Escuto e obedeço!

E saiu, rápido como uma flecha, a cumprir a ordem do soberano.

5. Título honroso que é concedido aos príncipes descendentes de Mafoma. Aqueles que se dizem descendentes do fundador do Islamismo julgam-se com direito ao título de *Xerife* ou *sejid*. O *Xerife*, quando exerce cargo de alto prestígio, recebe o título de *emir*. *Xerife* é, em geral, qualquer pessoa de origem nobre. À pág. 5 deste livro, conforme se pode observar, o nome de M. T. aparece precedido desse título.

Narra o que se passou no divã real. Os músicos e as bailarinas gêmeas. Como Beremiz identificou Iclímia e Tabessã. Surge um vizir invejoso que critica Beremiz. O elogio dos teóricos e sonhadores, feito por Beremiz. O rei proclama a vitória da Teoria sobre o imediatismo grosseiro.

Logo que o xeque Nuredim Zarur — o emissário do rei — partiu em busca do calígrafo que desenhara as 32 legendas do divã, deram entrada na magnífica sala do trono cinco músicos egípcios que executaram, com grande sentimento, as mais ternas canções e melodias árabes. Enquanto os músicos faziam vibrar seus alaúdes, harpas, cítaras e flautas, duas graciosas bailarinas djalicianas,[1] para maior deslumbramento de todos, dançavam sobre o vasto tablado de forma circular.

Era de causar espanto a semelhança que se observava entre as duas jovens escravas.

Tinham ambas o mesmo talhe esbelto, a mesma face morena, os mesmos olhos pintados de khol negro; ostentavam brincos, pulseiras e colares exatamente iguais. E, para completar a confusão, apresentavam-se com trajes em que não se percebia a menor diferença.

Em dado momento o califa, que parecia de bom humor, dirigiu-se a Beremiz a quem disse:

— Que achas, ó Calculista, das minhas lindas adjamis? Já reparaste, com certeza, que são parecidíssimas. Uma delas chama-se Iclímia; tem a outra o mavioso nome de Tabessã.[2] São gêmeas e valem um tesouro. Não encontrei, até hoje, quem fosse capaz de distinguir, com segurança, uma da outra quando elas reaparecem no tablado, depois da dança. Iclímia (repara bem!) é a que se acha agora à direita; Tabessã, à esquerda, junto à coluna, dirige-nos, neste momento, seu melhor sorriso! Pela cor de sua pele lisa, pelo perfume delicado que exala, ela se assemelha à haste odorante do aloés.

1. Escravas de origem espanhola. Em geral eram cristãs.

2. *Adjamis* significa "jovens de outras terras". Iclímia é o nome atribuído à filha mais velha de Eva. Segundo a tradição árabe, ela é mais moça do que Caim. Tabessã quer dizer pequenina.

— Confesso, ó xeque do Islã[3] — respondeu Beremiz —, que as vossas bailarinas são, realmente, irresistíveis. Louvado seja Alá, o Único, que criou a Beleza para com ela modelar as sedutoras formas femininas. Da mulher formosa já disse o poeta:

E para teu luxo a teia que os poetas fabricam
com o fio de ouro das imagens; e os pintores
o que fazem é criar para tua formosura nova
imortalidade.

Para adornar-te, para vestir-te, para fazer-te
mais preciosa, o mar dá as suas pérolas, a terra
o seu ouro, os jardins suas flores.

Sobre a tua mocidade o desejo do coração dos
homens derramou a sua glória.[4]

— Parece-me, entretanto — ponderou o calculista —, relativamente fácil distinguir-se Iclímia de sua irmã Tabessã. Basta reparar na feitura dos trajes de cada uma!

— Como assim? — atalhou o sultão. — Pelos trajes não se poderá descobrir a menor diferença, pois determinei que ambas usassem véus, blusas e mahzmas[5] rigorosamente iguais!

— Peço perdão, ó Rei generoso — contraveio Beremiz —, mas a vossa ordem as costureiras não a acataram com o devido cuidado. Verifico que a mahzma de Iclímia tem, na barra, 312 franjas, ao passo que na mahzma de Tabessã só cheguei a contar 309 franjas. Essa diferença de 3 no número

3. Título dado, exclusivamente, aos descendentes de Maomé.

4. Rabindranath Tagore, poeta indiano.

5. Espécie de saiote que usam as bailarinas.

total das franjas é suficiente para evitar qualquer confusão entre as duas irmãs gêmeas!

Ao ouvir tais palavras o califa bateu palmas, fez parar imediatamente o bailado, e determinou que um haquim[6] fosse contar, uma por uma, todas as franjas que apareciam nos saiotes das bailarinas.

O resultado veio confirmar o cálculo de Beremiz. A formosa Iclímia tinha, no vestido, 312 franjas e Tabessã, apenas 309!

— Mach-Allah! — exclamou o califa. — O xeque Iezid, apesar de poeta, não exagerou. Esse calculista Beremiz é, realmente, prodigioso! Contou todas as franjas dos saiotes enquanto as bailarinas volteavam rapidamente sobre o tablado. Isso parece incrível! Por Alá!

A inveja quando se apodera de um homem abre em sua alma caminho a todos os sentimentos desprezíveis e torpes.

Havia na corte de Al-Motacém um vizir chamado Nahum Ibn-Nahum, tipo invejoso e mau. Vendo crescer perante o califa o prestígio de Beremiz, como onda de pó erguida pelo simum, aguilhoado pelo despeito deliberou embaraçar o meu talentoso amigo e colocá-lo em situação ridícula e falsa. Assim foi que se aproximou do rei e disse-lhe destilando as palavras:

— Acabo de observar, ó Emir dos Crentes, que o calculista persa, nosso hóspede desta tarde, é exímio na contagem de elementos ou figuras de uma coleção. Contou as quinhentas e tantas palavras escritas na parede do salão, citou dois números amigos, falou da diferença (64 que é cubo e quadrado) e acabou por contar, uma por uma, as franjas dos saiotes das lindas bailarinas.

Mal servidos ficaríamos nós se os nossos matemáticos se dispusessem a cuidar de coisas tão pueris, sem utilidade prática de espécie alguma. Realmente! Que nos adianta sa-

6. Médico a quem o rei confia a saúde de suas esposas.

ber se há, nos versos que nos enlevam, 220 ou 284 palavras e se esses números são amigos ou não? A preocupação de quantos admiram um poeta não é contar as letras dos versos ou calcular o número de palavras pretas ou vermelhas de um poema. Tampouco nos interessa saber se no vestido desta bela e graciosa bailarina há 312, 309 ou 1.000 franjas. Tudo isso é ridículo e de mui escasso interesse para os homens de sentimentos que cultivam a Beleza e a Arte.

O engenho humano, amparado pela ciência, deve consagrar-se à resolução dos grandes problemas da Vida. Os sábios — inspirados por Alá, o Exaltado — não ergueram o deslumbrante edifício da Matemática para que essa nobre ciência viesse ter a aplicação que lhe quer atribuir o calculista persa. Parece-me, pois, um crime reduzir a ciência de um Euclides, de um Arquimedes ou de um maravilhoso Omar Khayyám (Alá o tenha em sua glória!) a essa mísera situação de avaliadora numérica de coisas e seres. Interessanos, pois, ver esse calculista aplicar as teorias (que diz possuir) na solução de problemas de serventia real, isto é, problemas que se relacionem com as necessidades e os reclamos da vida corrente!

— Há um pequeno engano de vossa parte, senhor vizir — acudiu prontamente Beremiz —, e eu teria grande honra em esclarecer esse insignificante equívoco se o generoso califa, nosso amo e senhor, me concedesse permissão para dirigir-lhe mais longamente a palavra, neste divã!

— Não deixa de parecer, até certo ponto, judiciosa — replicou o rei — a censura feita pelo vizir Nahum Ibn-Nahum. Um esclarecimento sobre o caso torna-se indispensável. Fala, pois! Tua palavra poderá orientar a opinião dos que aqui se acham!

Fez-se no divã real profundo silêncio.

O calculista assim falou:

— Os doutores e ulemás, ó Rei dos Árabes, não ignoram que a Matemática surgiu com o despertar da alma humana; mas não surgiu com fins utilitários. Foi a ânsia de resolver o mistério do Universo, diante do qual o homem é simples grão de areia, que lhe deu o primeiro impulso. Seu verdadeiro desenvolvimento resultou, antes de tudo, do esforço em penetrar e compreender o Infinito. E ainda hoje, depois de havermos passado séculos a tentar, em vão, afastar o espesso velário, ainda hoje é a busca do Infinito que nos leva para diante. O progresso material dos homens depende das pesquisas abstratas ou científicas do presente, e será aos homens de ciência que trabalham para fins puramente científicos, sem nenhum intuito de aplicação de suas doutrinas, que a humanidade ficará devedora em tempos futuros.[7]

Beremiz fez uma pequena pausa, e logo prosseguiu, com um sorriso fino e espiritual:

— Quando o matemático efetua seus cálculos, ou procura novas relações entre os números, não busca a verdade para fins utilitários. Cultivar a ciência pela utilidade prática, imediata, é desvirtuar a alma da própria ciência!

A teoria estudada hoje, e que nos parece inútil, terá aplicações no futuro? Quem poderá esclarecer esse enigma na sua projeção através dos séculos? Quem poderá, da equação do presente, resolver a grande incógnita dos tempos vindouros? Só Alá sabe a verdade! É bem possível que as investigações teóricas de hoje forneçam, dentro de mil ou dois mil anos, recursos preciosos para a prática.[8]

---

7. Já Condorcet observa: "O marinheiro a quem a exata determinação da longitude preserva do naufrágio deve a vida a uma teoria concebida, vinte séculos mais cedo, por homens de gênio que tinham em vista meras especulações geométricas."

8. Ver Apêndice: Elogio da Matemática.

É preciso, ainda, não esquecer que a Matemática, além do objetivo de resolver problemas, calcular áreas e medir volumes, tem finalidades muito mais elevadas.

Por ter alto valor no desenvolvimento da inteligência e do raciocínio, é a Matemática um dos caminhos mais seguros por onde podemos levar o homem a sentir o poder do pensamento, a mágica do espírito.

A Matemática é, enfim, uma das verdades eternas e, como tal, produz a elevação do espírito — a mesma elevação que sentimos ao contemplar os grandes espetáculos da Natureza, através dos quais sentimos a presença de Deus, Eterno e Onipotente! Há, pois, ó ilustre vizir Nahum Ibn-Nahum, como já disse, um pequeno erro de vossa parte. Conto os versos de um poema, calculo a altura de uma estrela, avalio o número de franjas, meço a área de um país, ou a força de uma torrente — aplico, enfim, fórmulas algébricas e princípios geométricos — sem me preocupar com os louros que possa tirar de meus cálculos e estudos! Sem o sonho e a fantasia a ciência se abastarda. É ciência morta! Uassalã!

As palavras eloquentes de Beremiz impressionaram profundamente os nobres e ulemás que rodeavam o trono. O rei aproximou-se do calculista, ergueu-lhe a mão direita e exclamou com decidida autoridade:

— A teoria do cientista sonhador venceu e vencerá sempre o imediatismo grosseiro do ambicioso sem ideal filosófico! Kelimet-Oullah![9]

Ao ouvir tal sentença, ditada pela justiça e pela razão, o rancoroso Nahum Ibn-Nahum inclinou-se, dirigiu um salã ao rei, e sem dizer palavra retirou-se cabisbaixo do divã das audiências.

9. Palavra de Deus.

Muita razão tinha o poeta ao escrever:

"Deixa voar bem alto a Fantasia:
Sem ilusões a vida que seria?"[10]

10. Esses versos são do grande poeta lírico espanhol Ramon de Campoamor (1817-1901), em tradução de Alípio de Figueiredo.

15

No qual Nuredim, o comissário, regressa ao palácio do rei. A informação que obteve de um imã. Como vivia o pobre calígrafo. O quadrado cheio de números e o tabuleiro de xadrez. Beremiz fala sobre os quadrados mágicos. A consulta do ulemá. O rei pede a Beremiz que lhe conte a lenda do jogo de xadrez.

Nuredim não fora favorecido pela sorte ao dar desempenho à sua missão. O calígrafo que o rei queria, com tanto empenho, interrogar sobre o caso dos "números amigos" não se encontrava mais entre os muros de Bagdá.

Ao relatar as providências que tomara a fim de dar cumprimento à ordem do califa, assim falou o nobre muçulmano:

— Deste palácio parti, acompanhado de três guardas, para a mesquita de Otmã (Alá que a nobilite cada vez mais!). Informou-me um velho imã que zela pela conservação desse templo que o homem procurado residira, realmente, durante vários meses, numa casa próxima. Poucos dias antes, porém, seguira para Báçora em uma caravana de vendedores de tapetes e velas. Soube ainda que o calígrafo (cujo nome o imã ignorava) vivia só, e raras vezes deixava o pequeno e modesto aposento em que morava. Achei que devia examinar a antiga habitação do calígrafo, pois era bem provável que fosse lá encontrar alguma aplicação que me facilitasse as pesquisas.

O aposento achava-se abandonado desde o dia em que fora deixado pelo seu antigo morador. Tudo ali demonstrava lamentável pobreza! Um leito grosseiro, atirado ao canto, era todo o mobiliário. Havia, entretanto, sobre uma caixa tosca de madeira, um tabuleiro de xadrez, acompanhado de algumas peças desse nobilitante jogo e, na parede, um quadro cheio de números. Achei estranho que um homem paupérrimo, que arrastava uma vida tão cheia de privações, cultivasse o jogo de xadrez e adornasse a parede de sua casa com figuras feitas de expressões matemáticas. Resolvi trazer comigo o tabuleiro e o tal quadrado numérico, para que os nossos dignos ulemás pudessem observar essas relíquias deixadas pelo velho calígrafo.

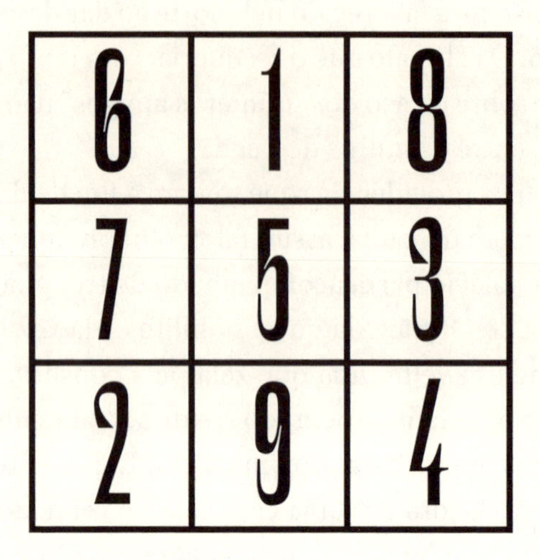

Quadrado mágico de 9 casas

O sultão, tomado, entretanto, de viva curiosidade pelo caso, mandou que Beremiz examinasse com a devida atenção o tabuleiro e a figura, que mais parecia trabalho de um discípulo de Al-Kharismi[1] do que enfeite para quarto de pobre.

Depois de ter observado com meticuloso cuidado o tabuleiro e o quadro, disse o Homem que Calculava:

— Esta interessante figura numérica, encontrada no quarto abandonado pelo calígrafo, constitui o que chamamos um "quadrado mágico".

— Tomemos um quadrado e dividamo-lo em 4, 9 ou 16 quadrados iguais, a que chamaremos *casas*.

Em cada uma dessas casas coloquemos um número inteiro. A figura obtida será um quadrado mágico quando a soma dos números que figuram numa coluna, numa linha ou em qualquer das diagonais for sempre a mesma. Esse resultado invariável é denominado *constante* do quadrado e o número

1. Ver Geômetra árabe. Está citado na Dedicatória. Ver Apêndice.

de casas de uma linha é o módulo do quadrado.

Os números que ocupam as diferentes casas do quadrado mágico devem ser todos diferentes e tomados na ordem natural.

É obscura a origem dos quadrados mágicos. Acredita-se que a construção dessas figuras constituía, já em época remota, um passatempo que prendia a atenção de grande número de curiosos.

Como os antigos atribuíam a certos números propriedades cabalísticas, era muito natural que vissem virtudes mágicas nos arranjos especiais desses números.

Os matemáticos chineses, que viveram 45 séculos antes de Maomé, já conheciam os quadrados mágicos.

O quadrado mágico com 4 casas não pode ser construído.

Na Índia muitos reis usavam o quadrado mágico como amuleto; um sábio do Iêmen afirmava que os quadrados mágicos eram preservativos de certas moléstias. Um quadrado mágico de prata, preso ao pescoço, evitava, segundo a crença de certas tribos, o contágio da peste.

4	5	16	9
14	11	2	7
1	8	13	12
15	10	3	6

Quadrado mágico de 16 casas que os matemáticos denominam "diabólico". Esse quadrado continua mágico quando transportamos uma linha ou uma coluna de um lado para o outro.

Quando um quadrado mágico apresenta certa propriedade, como, por exemplo, a de ser decomponível em vários quadrados mágicos, leva o nome de hipermágico.

Entre os quadrados hipermágicos podemos citar os diabólicos. Assim se denominam os quadrados que continuam mágicos quando transportamos uma coluna que se acha à direita para a esquerda, ou quando passamos uma linha que está embaixo para cima.

As indicações dadas por Beremiz sobre os quadrados mágicos foram ouvidas com a maior atenção pelo rei e pelos nobres muçulmanos.

Um velho ulemá, de olhos claros e nariz achatado, mas muito risonho e simpático, depois de dirigir palavras elogiosas ao "eminente Beremiz Samir, do país do Irã", declarou que desejava fazer uma consulta ao sábio calculista.

A consulta do ulemá risonho e simpático era a seguinte:

— Seria possível, a um geômetra, calcular a relação exata entre uma circunferência e o seu diâmetro? Em outras palavras: "Quantas vezes uma circunferência contém o seu diâmetro?"

A resposta a essa pergunta formulou-a o calculista nos seguintes termos:

— Não é possível obter a medida exata de uma circunferência mesmo quando conhecemos o seu diâmetro. Dessa medida deveria resultar um número, mas o verdadeiro valor desse número os geômetras ignoram.[2] Acreditavam os antigos astrólogos que a circunferência fosse três vezes o seu diâmetro. Mas isso não é certo. O grego Arquimedes achou que, medindo 22 côvados a circunferência, o seu diâmetro deveria medir, aproximadamente, 7 côvados. O tal número resultaria, assim, da divisão de 22 por 7. Os calculistas hindus não

2. Esse número famoso é o número π.

concordam com essa conta, e o grande Al-Kharismi afirmou que a regra de Arquimedes, na vida prática, está muito longe de ser verdadeira.[3]

E Beremiz concluiu, dirigindo-se ao ulemá do nariz achatado:

— Esse número parece envolver alto mistério, por ser dotado de atributos que só Alá poderá revelar.

A seguir, o brilhante calculista tomou do tabuleiro de xadrez e disse, voltando-se para o rei:

— Este velho tabuleiro, dividido em 64 casas pretas e brancas, é empregado, como sabeis, no interessante jogo que um hindu chamado Lahur Sessa, inventou, há muitos séculos, para recrear um rei da Índia. A descoberta do jogo de xadrez acha-se ligada a uma lenda que envolve cálculos, números, e notáveis ensinamentos.

— Deve ser interessante ouvi-la! — atalhou o califa. — Quero conhecê-la!

— Escuto e obedeço — respondeu Beremiz.

E narrou a seguinte história:

3. Ver Apêndice.

16

Onde se conta a famosa lenda sobre a origem do jogo de xadrez. A lenda é narrada ao califa de Bagdá, Al-Motacém Bilah, Emir dos Crentes, por Beremiz Samir, o Homem que Calculava.

Difícil será descobrir, dada a incerteza dos documentos antigos, a época precisa em que viveu e reinou na Índia um príncipe chamado Iadava, senhor da província da Taligana. Seria, porém, injusto ocultar que o nome desse monarca vem sendo apontado por vários historiadores hindus como dos soberanos mais ricos e generosos de seu tempo.

A guerra, com o cortejo fatal de suas calamidades, muito amargou a existência do rei Iadava, transmutando-lhe o ócio e gozo da realeza nas mais inquietantes atribulações. Adstrito ao dever, que lhe impunha a coroa, de zelar pela tranquilidade de seus súditos, viu-se o nosso bom e generoso monarca forçado a empunhar a espada para repelir, à frente de pequeno exército, um ataque insólito e brutal do aventureiro Varangul, que se dizia príncipe de Caliã.

O choque violento das forças rivais juncou de mortos os campos de Dacsina e tingiu de sangue as águas sagradas do Rio Sandhu. O rei Iadava possuía — pelo que nos revela a crítica dos historiadores — invulgar talento para a arte militar; sereno em face da invasão iminente, elaborou um plano de batalha, e tão hábil e feliz foi em executálo, que logrou vencer e aniquilar por completo os pérfidos perturbadores da paz do seu reino.

O triunfo sobre os fanáticos de Varangul custoulhe, infelizmente, pesados sacrifícios; muitos jovens quichatrias[1] pagaram com a vida a segurança de um trono para prestígio de uma dinastia; e entre os mortos, com o peito varado por uma flecha, lá ficou no campo de combate o príncipe Adjamir, filho do rei Iadava, que patrioticamente se sacrificou no mais aceso da refrega, para salvar a posição que deu aos seus a vitória final.

1. Militares, uma das quatro castas em que se divide o povo hindu. As demais são formadas pelos brâmanes (sacerdotes), vairkas (operários) e sudras (escravos).

Terminada a cruenta campanha e assegurada a nova linha de suas fronteiras, regressou o rei ao suntuoso palácio de Andra, baixando, porém, formal proibição de que se realizassem as ruidosas manifestações com que os hindus soíam festejar os grandes feitos guerreiros. Encerrado em seus aposentos, só aparecia para atender aos ministros e sábios brâmanes quando algum grave problema nacional o chamava a decidir, como chefe de Estado, no interesse e para felicidade de seus súditos.

Com o andar dos dias, longe de se apagarem as lembranças da penosa campanha, mais se agravaram a angústia e a tristeza que, desde então, oprimiam o coração do rei. De que lhe poderiam servir, na verdade, os ricos palácios, os elefantes de guerra, os tesouros imensos, se já não mais vivia a seu lado aquele que fora sempre a razão de ser de sua existência? Que valor poderiam ter, aos olhos de um pai inconsolável, as riquezas materiais que não apagam nunca a saudade do filho estremecido?

As peripécias da batalha em que pereceu o príncipe Adjamir não lhe saíam do pensamento. O infeliz monarca passava longas horas traçando, sobre uma grande caixa de areia, as diversas manobras executadas pelas tropas durante o assalto. Com um sulco indicava a marcha da infantaria; ao lado, paralelo ao primeiro, outro traço mostrava o avanço dos elefantes de guerra; um pouco mais abaixo, representada por pequenos círculos dispostos em simetria, perfilava a destemida cavalaria chefiada por um velho radj[2] que se dizia sob a proteção de Techandra, a deusa da Lua. Ainda por meio de gráficos esboçava o rei a posição das colunas inimigas desvantajosamente colocadas, graças à sua estratégia, no campo em que se feriu a batalha decisiva.

2. Chefe militar.

Uma vez completado o quadro dos combatentes, com as minudências que pudera evocar, o rei tudo apagava, para recomeçar novamente, como se sentisse íntimo gozo em reviver os momentos passados na angústia e na ansiedade.

À hora matinal em que chegavam ao palácio os velhos brâmanes para a leitura dos Vedas,[3] já o rei era visto a riscar na areia os planos de uma batalha que se reproduzia interminavelmente.

— Infeliz monarca! — murmuravam os sacerdotes penalizados. — Procede como um sudra[4] a quem Deus privou da luz da razão. Só Dhanoutara,[5] poderosa e clemente, poderá salvá-lo!

E os brâmanes erguiam preces, queimavam raízes aromáticas, implorando à eterna zeladora dos enfermos que amparasse o soberano de Taligana.

Um dia, afinal, foi o rei informado de que um moço brâmane — pobre e modesto — solicitava uma audiência que vinha pleiteando havia já algum tempo. Como estivesse, no momento, com boa disposição de ânimo, mandou o rei que trouxessem o desconhecido à sua presença.

Conduzido à grande sala do trono, foi o brâmane interpelado, conforme as exigências da praxe, por um dos vizires do rei.

— Quem és, de onde vens e que desejas daquele que, pela vontade de Vichnu,[6] é rei e senhor de Taligana?

— Meu nome — respondeu o jovem brâmane — é Lahur Sessa[7] e venho da aldeia de Namir, que trinta dias de marcha separam desta bela cidade. Ao recanto em que eu vivia chegou

3. Livro sagrado dos hindus.

4. Escravo.

5. Deusa.

6. Segundo membro da trindade bramânica.

7. Nome do inventor do jogo de xadrez. Significa "natural de Lahur".

a notícia de que o nosso bondoso rei arrastava os dias em meio de profunda tristeza, amargurado pela ausência de um filho que a guerra viera roubar-lhe. Grande mal será para o país, pensei, se o nosso dedicado soberano se enclausurar, como um brâmane cego, dentro de sua própria dor. Deliberei, pois, inventar um jogo que pudesse distraí-lo e abrir em seu coração as portas de novas alegrias. É esse o desvalioso presente que desejo neste momento oferecer ao nosso rei Iadava.

Como todos os grandes príncipes citados nesta ou naquela página da História, tinha o soberano hindu o grave defeito de ser excessivamente curioso. Quando o informaram da prenda de que o moço brâmane era portador, não pôde conter o desejo de vê-la e apreciá-la sem mais demora.

O que Sessa trazia ao rei Iadava consistia num grande tabuleiro quadrado, dividido em sessenta e quatro quadradinhos, ou casas, iguais; sobre esse tabuleiro colocavam-se, não arbitrariamente, duas coleções de peças que se distinguiam, uma da outra, pelas cores branca e preta, repetindo, porém, simetricamente, os engenhosos formatos e subordinados a curiosas regras que lhes permitiam movimentarse por vários modos.

Sessa explicou pacientemente ao rei, aos vizires e cortesãos que rodeavam o monarca em que consistia o jogo, ensinando-lhes as regras essenciais:

— Cada um dos partidos dispõe de oito peças pequeninas — os *peões*. Representam a infantaria, que ameaça avançar sobre o inimigo para desbaratá-lo. Secundando a ação dos peões vêm os *elefantes de guerra*,[8] representados por peças maiores e mais poderosas; a *cavalaria*, indispensável no combate, aparece, igualmente, no jogo, simbolizada por duas peças que podem saltar, como dois corcéis, sobre as outras; e, para inten-

8. Os elefantes foram mais tarde substituídos pelas torres.

sificar o ataque, incluem-se — para representar os guerreiros cheios de nobreza e prestígio — os dois *vizires*[9] do rei. Outra peça, dotada de amplos movimentos, mais eficiente e poderosa do que as demais, representará o espírito de nacionalidade do povo e será chamada a *rainha*. Completa a coleção uma peça que isolada pouco vale, mas se torna muito forte quando amparada pelas outras. É o *rei*.

O rei Iadava, interessado pelas regras do jogo, não se cansava de interrogar o inventor:

— E por que é a rainha mais forte e mais poderosa que o próprio rei?

— É mais poderosa — argumentou Sessa — porque a rainha representa, nesse jogo, o patriotismo do povo. A maior força do trono reside, principalmente, na exaltação de seus súditos. Como poderia o rei resistir ao ataque dos adversários, se não contasse com o espírito de abnegação e sacrifício daqueles que o cercam e zelam pela integridade da pátria?

Dentro de poucas horas o monarca, que aprendera com rapidez todas as regras do jogo, já conseguia derrotar os seus dignos vizires em partidas que se desenrolavam impecáveis sobre o tabuleiro.

Sessa, de quando em quando, intervinha respeitoso, para esclarecer uma dúvida ou sugerir novo plano de ataque ou de defesa.

Em dado momento, o rei fez notar, com grande surpresa, que a posição das peças, pelas combinações resultantes dos diversos lances, parecia reproduzir exatamente a batalha de Dacsina.

— Reparai — ponderou o inteligente brâmane — que para conseguirdes a vitória, indispensável se torna, de vossa parte, o sacrifício deste vizir!

E indicou precisamente a peça que o rei Iadava, no desen-

9. Os vizires são as peças chamadas bispos. A rainha não tinha, a princípio, movimentos tão amplos.

rolar da partida — por vários motivos —, grande empenho pusera em defender e conservar.

O judicioso Sessa demonstrava, desse modo, que o sacrifício de um príncipe é, por vezes, imposto como uma fatalidade, para que dele resultem a paz e a liberdade de um povo.

Ao ouvir tais palavras, o rei Iadava, sem ocultar o entusiasmo que lhe dominava o espírito, assim falou:

— Não creio que o engenho humano possa produzir maravilha comparável a este jogo interessante e instrutivo! Movendo essas tão simples peças, aprendi que um rei nada vale sem o auxílio e a dedicação constante de seus súditos. E que, às vezes, o sacrifício de um simples peão vale mais, para a vitória, do que a perda de uma poderosa peça.

E, dirigindo-se ao jovem brâmane, disse-lhe:

— Quero recompensar-te, meu amigo, por este maravilhoso presente, que de tanto me serviu para alívio de velhas angústias. Dize-me, pois, o que desejas, para que eu possa, mais uma vez, demonstrar o quanto sou grato àqueles que se mostram dignos de recompensa.

As palavras com que o rei traduziu o generoso oferecimento deixaram Sessa imperturbável. Sua fisionomia serena não traía a menor agitação, a mais insignificante mostra de alegria ou surpresa. Os vizires olhavamno atônitos e entreolhavam-se pasmados diante da apatia de uma cobiça a que se dava o direito da mais livre expansão.

— Rei poderoso! — redarguiu o jovem com doçura e altivez. — Não desejo, pelo presente que hoje vos trouxe, outra recompensa além da satisfação de ter proporcionado ao senhor de Taligana um passatempo agradável que lhe vem aligeirar as horas dantes alongadas por acabrunhante melancolia. Já estou, portanto, sobejamente aquinhoado e outra qualquer paga seria excessiva.

Sorriu, desdenhosamente, o bom soberano ao ouvir aquela resposta que refletia um desinteresse tão raro entre os ambiciosos hindus. E, não crendo na sinceridade das palavras de Sessa, insistiu:

— Causa-me assombro tanto desdém e desamor aos bens materiais, ó jovem! A modéstia, quando excessiva, é como o vento que apaga o archote cegando o viandante nas trevas de uma noite interminável. Para que possa o homem vencer os múltiplos obstáculos que se lhe deparam na vida, precisa ter o espírito preso às raízes de uma ambição que o impulsione a um ideal qualquer. Exijo, portanto, que escolhas, sem mais demora, uma recompensa digna de tua valiosa oferta. Queres uma bolsa cheia de ouro? Desejas uma arca repleta de joias? Já pensaste em possuir um palácio? Almejas a administração de uma província? Aguardo a tua resposta, por isso que à minha promessa está ligada a minha palavra!

— Recusar o vosso oferecimento depois de vossas últimas palavras — acudiu Sessa — seria menos descortesia do que desobediência ao rei. Vou, pois, aceitar, pelo jogo que inventei, uma recompensa que corresponde à vossa generosidade; não desejo, contudo, nem ouro, nem terras ou palácios. Peço o meu pagamento em grãos de trigo.

— Grãos de trigo? — estranhou o rei, sem ocultar o espanto que lhe causava semelhante proposta. — Como poderei pagar-te com tão insignificante moeda?

— Nada mais simples — elucidou Sessa. — Dar-me-eis um grão de trigo pela primeira casa do tabuleiro; dois pela segunda, quatro pela terceira, oito pela quarta, e assim dobrando sucessivamente, até a sexagésima quarta e última casa do tabuleiro. Peço-vos, ó Rei, de acordo com a vossa magnânima oferta, que autorizeis o pagamento em grãos de trigo, e assim como indiquei!

Não só o rei como os vizires e venerandos brâmanes presentes riram-se, estrepitosamente, ao ouvir a estranha solicitação do jovem. A desambição que ditara aquele pedido era, na verdade, de causar assombro a quem menos apego tivesse aos lucros materiais da vida. O moço brâmane, que bem poderia obter do rei um palácio em uma província, contentava-se com grãos de trigo!

— Insensato! — clamou o rei. — Onde foste aprender tão grande desamor à fortuna? A recompensa que me pedes é ridícula. Bem sabes que há, num punhado de trigo, número incontável de grãos. Devemos compreender, portanto, que com duas ou três medidas de trigo eu te pagarei folgadamente, consoante o teu pedido, pelas sessenta e quatro casas do tabuleiro. É certo, pois, que pretendes uma recompensa que mal chegará para distrair, durante alguns dias, a fome do último pária[10] do meu reino. Enfim, visto que minha palavra foi dada, vou expedir ordens para que o pagamento se faça imediatamente, conforme teu desejo.

Mandou o rei chamar os algebristas mais hábeis da corte e ordenou-lhes calculassem a porção de trigo que Sessa pretendia.

Os sábios calculistas, ao cabo de algumas horas de acurados estudos, voltaram ao salão para submeter ao rei o resultado completo de seus cálculos.

Perguntou-lhes o rei, interrompendo a partida que então jogava:

— Com quantos grãos de trigo poderei, afinal, desobrigar-me da promessa que fiz ao jovem Sessa?

— Rei magnânimo! — declarou o mais sábio dos matemáti-

10. Indivíduo pertencente a uma das castas mais ínfimas da costa de Coromandel. Corresponde, na escala social, à casta dos *poleás*. Na Europa emprega-se o termo no sentido de "homem expulso de sua casta ou classe".

cos. — Calculamos o número de grãos de trigo que constituirá o pagamento pedido por Sessa, e obtivemos um número[11] cuja grandeza é inconcebível para a imaginação humana. Avaliamos, em seguida, com o maior rigor, a quantas ceiras[12] corresponderia esse número total de grãos, e chegamos à seguinte conclusão: a porção de trigo que deve ser dada a Lahur Sessa equivale a uma montanha que, tendo por base a cidade de Taligana, seria cem vezes mais alta do que o Himalaia! A Índia inteira, semeados todos os seus campos, taladas todas as suas cidades, não produziria em dois mil séculos a quantidade de trigo que, pela vossa promessa, cabe, em pleno direito, ao jovem Sessa!

Como descrever aqui a surpresa e o assombro que essas palavras causaram ao rei Iadava e a seus dignos vizires? O soberano hindu via-se, pela primeira vez, diante da impossibilidade de cumprir a palavra dada.

Lahur Sessa — rezam as crônicas do tempo —, como bom súdito, não quis deixar aflito o seu soberano. Depois de declarar publicamente que abriria mão do pedido que fizera, dirigiu-se respeitosamente ao monarca e assim falou:

— Meditai, ó Rei, sobre a grande verdade que os brâmanes prudentes tantas vezes repetem: os homens mais avisados iludem-se, não só diante da aparência enganadora dos números, mas também com a falsa modéstia dos ambiciosos. Infeliz daquele que toma sobre os ombros o compromisso de uma dívida cuja grandeza não pode avaliar com a tábua de cálculo

11. Para se obter esse total de grãos de trigo, devemos elevar o número 2 ao expoente 64, e do resultado tirar uma unidade. Trata-se de um número verdadeiramente astronômico, de vinte algarismos, que é famoso em Matemática: **18 446 744 073 709 551 615**
Chamamos especialmente a atenção dos matemáticos para o Apêndice: intitulada *O Problema do Jogo de Xadrez*.

12. *Ceira* ou *cer* — Unidade de capacidade e peso usada na Índia. Seu valor variava de uma localidade para outra.

de sua própria argúcia. Mais avisado é o que muito pondera e pouco promete!

E, após ligeira pausa, acrescentou:

— Menos aprendemos com a ciência vã dos brâmanes do que com a experiência direta da vida e das suas lições de todo dia, a toda hora desdenhadas! O homem que mais vive mais sujeito está às inquietações morais, mesmo que não as queira. Achar-se-á ora triste, ora alegre; hoje fervoroso, amanhã tíbio; já ativo, já preguiçoso; a compostura alternará com a leviandade. Só o verdadeiro sábio, instruído nas regras espirituais, se eleva acima dessas vicissitudes, paira por sobre todas essas alternativas!

Essas inesperadas e tão sábias palavras calaram fundo no espírito do rei. Esquecido da montanha de trigo que, sem querer, prometera ao jovem brâmane, nomeou-o seu primeiro-vizir.

E Lahur Sessa, distraindo o rei com engenhosas partidas de xadrez e orientando-o com sábios e prudentes conselhos, prestou os mais assinalados benefícios ao povo e ao país, para maior segurança do trono e maior glória de sua pátria.

Encantado ficou o califa Al-Motacém quando Beremiz concluiu a história singular do jogo de xadrez. Chamou o chefe de seus escribas e determinou que a lenda de Sessa fosse escrita em folhas especiais de algodão e conservada em valioso cofre de prata.

E, a seguir, o generoso soberano deliberou se entregasse ao calculista um manto de honra e 100 cequins de ouro.

Bem disse o filósofo:

— Deus fala ao mundo pelas mãos dos generosos![13]

A todos causou grande alegria o ato de magnanimidade do soberano de Bagdá. Os cortesãos que permaneciam no divã eram amigos do vizir Maluf e do poeta Iezid: era, pois, com simpatia que ouviam as palavras do calculista persa, por quem

13. Esse pensamento é de Gibran Khalil Gibran.

muito se interessavam.

Beremiz, depois de agradecer ao soberano os presentes com que acabava de ser distinguido, retirou-se do divã. O califa ia iniciar o estudo e julgamento de diversos casos, ouvir os honrados cádis[14] e proferir suas sábias sentenças.

Deixamos o palácio real ao cair da noite. Ia começar o mês de Chá-band.[15]

14. Juízes. Denominação dada aos magistrados.

15. Um dos meses do calendário árabe.

17

Recebe o Homem que Calculava inúmeras consultas. Crendices e superstições. Unidades e figuras. O contador de histórias e o calculista. O caso das 90 maçãs. A Ciência e a Caridade.

A partir do célebre dia em que estivemos, pela primeira vez, no divã do califa, a nossa vida sofreu profundas modificações. A fama de Beremiz ganhou realce excepcional. Na modesta hospedaria em que morávamos, os visitantes e conhecidos não perdiam oportunidade de lisonjear-nos com repetidas demonstrações de simpatia e respeitosos salãs.

Todos os dias o calculista via-se obrigado a atender a dezenas de consultas. Ora era um cobrador de impostos que precisava conhecer o número de ratls contidos em um abás e a relação entre essas unidades e o cate;[1] aparecia, a seguir, um haquim ansioso por ouvir de Beremiz uma explicação sobre a cura de certas febres por meio de sete nós feitos numa corda; mais de uma vez o calculista foi procurado por cameleiros, ou vendedores de incenso que indagavam quantas vezes devia um homem saltar uma fogueira, para se livrar do Demônio. Apareciam, por vezes, ao cair da noite, soldados turcos, de olhar iracundo, que desejavam aprender meios seguros de ganhar no jogo de dados. Esbarrei, muitas vezes, com mulheres — ocultas por espessos véus — que vinham, tímidas, consultar o matemático sobre os números que deviam escrever no antebraço esquerdo para obter boa sorte, alegria e riqueza! Queriam conhecer os segredos que asseguram a baraka[2] para uma esposa feliz.

A todos Beremiz Samir atendia com paciência e bondade. Esclarecia alguns, dava conselhos a outros. Procurava destruir as superstições e crendices dos fracos e ignorantes, mostrando-lhes que nenhuma relação poderá existir, pela vontade de Deus, entre os números e as alegrias, tristezas e angústias do coração.

1. O ratl vale um centésimo da arroba e a arroba um quarto do quintal. O abás é a unidade de peso empregada na avaliação de pérolas. O cate é um peso usado na China. Corresponde a 255 gramas.

2. Boa sorte. Qualquer sortilégio aplicado no sentido de evitar a desgraça.

E procedia dessa forma, guiado por elevado sentimento de altruísmo, sem visar a lucro ou recompensa. Recusava sistematicamente o dinheiro que lhe ofereciam e quando um xeque rico, a quem ensinara, insistia em pagar a consulta, Beremiz recebia a bolsa cheia de dinares, agradecia a esmola e mandava distribuir, integralmente, a quantia entre os pobres do bairro.

Certa vez um mercador, chamado Aziz Nemã, empunhando um papel cheio de números e contas, veio queixar-se de um sócio a quem tratava de "ladrão miserável", "chacal imundo", e outros epítetos, não menos insultuosos. Beremiz procurou acalmar o ânimo exaltadíssimo do homem e chamá-lo ao caminho da mansidão.

— Acautelai-vos — aconselhou — contra os juízos arrebatados pela paixão porque esta desfigura muitas vezes a verdade. Aquele que olha por um vidro de cor vê todos os objetos da cor desse vidro: se o vidro é vermelho, tudo lhe parece rubro; se é amarelo, tudo se lhe apresenta completamente amarelado. A paixão está para nós como a cor do vidro para os olhos. Se alguém nos agrada, tudo lhe louvamos e desculpamos; se, ao contrário, nos aborrece, tudo lhe condenamos, ou interpretamos de modo desfavorável.

E, a seguir, examinou com paciência as contas, e descobriu nelas vários enganos que desvirtuavam os resultados. Aziz certificou-se de que havia sido injusto para com o sócio, e tão encantado ficou com a maneira inteligente e conciliadora de Beremiz, que nos convidou, naquela noite, a um passeio pela cidade.

Fomos levados, pelo nosso delicado companheiro, até o café Bazarique, no extremo da praça de Otmã.

Um famoso contador de histórias, no meio da sala invadida por fumo negro e espesso, prendia a atenção de um grupo numeroso de ouvintes.

Tivemos a sorte de chegar exatamente no momento em que o xeque el-medah,[3] tendo terminado a costumada prece inaugural, começava a narrativa. Era um homem de seus cinquenta anos, quase negro, a barba negríssima, e dois grandes olhos cintilantes; trazia, como quase todos os outros narradores de Bagdá, um amplíssimo pano branco apertado em torno da cabeça por uma corda de pelo de camelo, que lhe dava a majestade de um sacerdote antigo. Falava com voz alta e vagarosa, ereto no meio do círculo dos ouvintes, acompanhado submissamente por dois tocadores de alaúde e de tambor. Narrava, com entusiasmo, uma história de amor, intercalada com as vicissitudes da vida de um sultão. Os ouvintes não lhe perdiam uma só palavra. O gesto do xeque era tão arrebatado, a sua voz tão expressiva, o seu rosto tão eloquente, que às vezes deixava a impressão de viver as aventuras que sua fantasia criava. Falava de uma longa viagem. Imitava o passo lento do cavalo fatigado. Aqui encarnava o beduíno sedento procurando, em torno de si, uma gota d'água; ali deixava pender os braços e a cabeça como um homem prostrado.

Que admiração me causava o xeque contador de histórias!

Árabes, armênios, egípcios, persas e nômades bronzeados no Hedjaz, imóveis, sem respirar, refletiam na expressão do rosto todas as palavras do orador. Naquele momento, com a alma toda nos olhos, deixavam ver, claramente, a ingenuidade e a frescura de sentimentos que ocultavam sob a aparência de uma dureza selvagem. O contador de histórias andava para a direita e para a esquerda, parava, retrocedia aterrado, cobria o rosto com as mãos, erguia os braços para o céu, e, à medida que se ia afervorando e levantando a voz, os músicos tocavam e batiam com mais fúria.

3. Xeque el-medah é o chefe dos contadores de histórias. Cf. De Amicis, *Marrocos*, Rio, s./d.

A narrativa empolgava os beduínos; terminada que foi, os aplausos estrugiram no ar. Seguiu-se um linguarejar surdo dos presentes; comentavam todos os episódios mais emocionantes da narrativa.

O mercador Aziz Nemã, que parecia muito popular naquela barulhenta sociedade, adiantouse para o centro da roda e comunicou ao xeque, em tom solene e decidido:

— Acha-se presente, ó Irmão dos Árabes, o célebre Beremiz Samir, o calculista persa, secretário do vizir Maluf.

Centenas de olhos convergiram para Beremiz, cuja presença era uma honra para os frequentadores do café.

O contador de histórias, depois de dirigir um respeitoso salã ao Homem que Calculava, disse com voz clara e timbrada:

— Meus amigos! Tenho contado muitas histórias maravilhosas de gênios, reis e efrites.[4] Em homenagem ao luminoso calculista que acaba de chegar, vou narrar uma história que envolve um problema cuja solução, até agora, não foi descoberta.

— Muito bem! Muito bem! — conclamaram os ouvintes.

O xeque, depois de evocar o nome de Alá (com ele a oração e a glória!), contou o seguinte caso:

— Vivia outrora, em Damasco, um bom e esforçado camponês que tinha três filhas. Um dia, conversando com o cádi, declarou o camponês que suas filhas eram dotadas de alta inteligência e de raro poder imaginativo.

O cádi, invejoso e implicante, irritou-se ao ouvir o rústico elogiar o talento das jovens e declarou:

— Já é a quinta vez que ouço de tua boca elogios exagerados que exaltam a sabedoria de tuas filhas. Vou apurar se elas são, como afirmas, dotadas de engenho e perspicácia de espírito.

Mandou o cádi chamar as três raparigas e disse-lhes:

4. Gênio poderoso. Os efrites, em geral, eram perigosos e maléficos.

— Aqui estão 90 maçãs que vocês deverão vender no mercado. Fátima, que é a mais velha, levará 50. Cunda levará 30 e Siha, a caçula, será encarregada de vender as 10 restantes. Se Fátima vender as maçãs a 7 por um dinar, as outras deverão vender, também, pelo mesmo preço, isto é, a 7 por um dinar; se Fátima fizer a venda das maçãs a três dinares cada uma, será esse o preço pelo qual Cunda e Siha deverão vender as que levam. O negócio deve fazer-se de sorte que as três apurem, com a venda das respectivas maçãs, a mesma quantia.

— E não posso desfazer-me de algumas maçãs que levo? — perguntou Fátima.

— De modo algum — obstou, de pronto, o impertinente cádi. — A condição, repito, é essa: Fátima deve vender 50. Cunda venderá 30 e Siha só poderá vender as 10 que lhe tocaram. E pelo preço que Fátima as vender, pelo mesmo preço deverão as outras negociar as frutas. Façam a venda de modo que apurem, ao final, quantias iguais.

Aquele problema, assim posto, afigurava-se absurdo e disparatado. Como resolvê-lo? As maçãs, segundo a condição imposta pelo cádi, deviam ser vendidas pelo mesmo preço. Ora, nessas condições, é claro que a venda de 50 maçãs devia produzir quantia muito maior que a venda de 30 ou de 10 apenas.

E, como as moças não atinassem com a forma de resolver o caso, foram consultar, sobre o complicado problema, um imã[5] que morava nas vizinhanças.

O imã, depois de encher várias folhas de números, fórmulas e equações, concluiu:

— Meninas! Esse problema é de uma simplicidade cristalina. Vendam as noventa maçãs, conforme o cádi ordenou, e chegarão, sem erro, ao resultado que ele mesmo determinou.

5. Homem religioso encarregado de ler o Alcorão na mesquita.

A indicação dada pelo imã em nada esclarecia o intrincado enigma das 90 maçãs proposto pelo cádi.

As jovens foram ao mercado e venderam todas as maçãs, isto é, Fátima vendeu 50, Cunda vendeu 30 e Siha encontrou logo comprador para as dez que levara. O preço foi sempre o mesmo para as três moças e, por fim, cada uma delas apurou a mesma quantia. Aqui termina a história. Cabe agora ao nosso calculista explicar como foi resolvido o problema.

Mal acabara de ouvir o apelo do inteligente narrador, Beremiz encaminhou-se para o centro do círculo formado pelos curiosos ouvintes, e assim falou:

— Não deixa de ser interessante esse problema apresentado sob forma de história. Já tenho visto muitas vezes exatamente o contrário; simples histórias mascaradas sob o disfarce de verdadeiros problemas de Lógica ou de Matemática! A solução para o enigma com que o malicioso cádi de Damasco quis atormentar as jovens camponesas parece ser a seguinte:

Fátima iniciou a venda fixando o preço de 7 maçãs por um dinar. Vendeu, desse modo, 49 maçãs, ficando com uma de resto. Cunda, obrigada a ceder as 30 maçãs por esse mesmo preço, vendeu 28 por 4 dinares ficando com duas de resto. Siha, que dispunha de uma dezena, vendeu sete por um dinar, ficando com 3 de resto.

Temos, assim, na primeira fase do problema:

Fátima vendeu 49 e ficou com 1.
Cunda vendeu 28 e ficou com 2.
Siha vendeu 7 e ficou com 3.

A seguir, Fátima resolveu vender a maçã que lhe restava por 3 dinares. Cunda, segundo a condição imposta pelo cádi, vendeu as duas maçãs, que ainda possuía, pelo mesmo preço, isto é, 3 dinares cada uma, obtendo 6 dinares, e Siha vendeu as três maçãs de resto por 9 dinares, isto é, também a três dinares cada uma:

Fátima:		**49 por 7 dinares**
		1 por 3 dinares
		—
	Total	**por 10 dinares**
Cunda		**28 por 4 dinares**
		2 por 6 dinares
		—
	Total	**por 10 dinares**
Siha		**7 por 1 dinar**
		3 por 9 dinares
		—
	Total	**por 10 dinares**

E, terminado o negócio, como é fácil verificar, cada uma das moças apurou 10 dinares. Eis como foi resolvido o problema do cádi. Queira Alá que os perversos sejam castigados e os bons recompensados.

O xeque el-medah, encantado com a solução apresentada por Beremiz, exclamou, erguendo o braço:

— Pela segunda sombra de Maomé! Esse jovem calculista é, realmente, um gênio! É o primeiro ulemá que descobre, sem fazer contas complicadas, a solução exata e perfeita para o problema do cádi!

A multidão que enchia o café de Otmã, sugestionada pelos elogios do xeque, vozeou:

— Bravos! Bravos! Alá esclareça o jovem ulemá!

É bem possível que muitos dos homens não tivessem entendido a explicação de Beremiz. Não obstante essa pequena restrição, os aplausos foram gerais e vibrantes.

Beremiz, depois de impor silêncio à rumorosa sociedade, disse-lhe com veemência:

— Meus amigos, vejo-me forçado a confessar que não mereço o honroso título de ulemá. Louco é aquele que se considera sábio quando mede a extensão de sua ignorância. Que pode valer a ciência dos homens diante da ciência de Deus?

E antes que um dos assistentes o interrompesse, narrou o seguinte:

— Era uma vez uma formiguinha que, andando a vagar pelo mundo, encontrou uma grande montanha de açúcar. Muito contente com a sua descoberta, retirou da montanha um pequeno grão, levou-o ao formigueiro. "Que é isto?", perguntaram as companheiras. "Isto", replica a pretensiosa, "é uma montanha de açúcar! Encontreia no caminho e resolvi trazê-la para aqui!"

E Beremiz acrescentou, com uma vivacidade muito fora da sua habitual placidez:

— É assim o sábio orgulhoso. Traz a pequenina migalha, apanhada no caminho, e julga conduzir o próprio Himalaia. A Ciência é uma grande montanha de açúcar; dessa montanha só conseguimos retirar insignificantes pedacinhos.

E insistiu, compenetrado:

— A única Ciência que deve ter valor para os homens é a ciência de Deus.

Um barqueiro iemenita, de bochechas largas, que se achava na roda, interpelou Beremiz:

— E qual é, ó Calculista, a ciência de Deus?

— A ciência de Deus é a Caridade!

Lembrei-me, nesse momento, da poesia admirável que ouvira, pela voz de Telassim, nos jardins do xeque Iezid, quando os pássaros foram postos em liberdade:

Falasse eu a língua dos homens

E dos anjos
E não tivesse caridade,
Seria como o metal que soa,
Ou como o sino que tine.

Nada seria!
Nada seria!

Por volta da meia-noite, quando deixamos o Café Bazarique, vários homens, para testemunhar a consideração que nos dispensavam, vieram oferecer-nos suas pesadas lanternas, pois a noite ia escura e as ruas estavam esburacadas e desertas.

Olhei para o céu. No alto, destacando-se no meio da imensa caravana de estrelas, brilhava a inconfundível Al-Schira.[6]

Iallah![7]

6. Nome dado pelos árabes à estrela Sirius, Alfa do Cão Maior.

7. Louvado seja Deus!

18

Que trata de nossa volta ao palácio do xeque Iezid. Uma reunião de poetas e letrados. A homenagem ao marajá de Laore. A Matemática na Índia. A pérola de Lilaváti. Os problemas de Aritmética dos hindus. O valor da escrava de 20 anos.

No dia seguinte, à primeira hora da sobh,[1] um egípcio veio, com uma carta do poeta Iezid, buscar-nos em nossa modesta hospedaria.

— Ainda é muito cedo para a aula — advertiu tranquilo Beremiz. — Receio que a minha paciente aluna não esteja avisada.

O egípcio explicou que o xeque, antes da aula de Matemática, desejava apresentar o calculista persa a um grupo de amigos. Convinha, pois, chegássemos mais cedo ao palácio do poeta.

Desta vez, por precaução, fomos acompanhados por três escravos negros, fortes e decididos, pois era muito possível que o terrível e ciumento Tara-Tir tentasse, em caminho, assaltar o nosso grupo e assassinar o calculista no qual, ao que parece, vislumbrava odiento rival.

Uma hora depois, sem que nada de anormal nos sucedesse, chegamos à deslumbrante residência do xeque Iezid. O servo egípcio conduziu-nos, através de interminável galeria, até um rico salão azul adornado com frisos dourados. Ali se encontrava o pai de Telassim, rodeado de vários letrados e poetas.

— *Salam aleicum!*

— *Massa al-quair!*

— *Venda azzaiac!*[2]

Trocadas as delicadas saudações, o dono da casa dirigiu-nos amistosas palavras e convidou-nos a tomar assento naquela reunião.

Sentamo-nos sobre fartos coxins de seda. Uma escrava morena, de olhos negros e vivos, trouxe-nos frutas, doces e água com rosa.

1. Parte da manhã.

2. As frases citadas são formas usuais de saudação entre árabes amigos.

Notei uma túnica de cetim branco de Gênova, apertada por um cinto azul todo constelado de brilhantes, de onde pendia lindo punhal com o cabo marchetado de lápis-lazúli e safiras. Coroava-o vistoso turbante de seda cor-de-rosa semeado de gemas preciosas e enfeitado de fios negros. A mão trigueira e fina realçava o brilho dos valiosos anéis que lhe pesavam nos dedos esguios.

— Ilustre geômetra — disse o xeque Iezid, dirigindo-se ao calculista —, bem sei que estás surpreendido com a reunião que promovi hoje nesta modestíssima tenda. Cabe-me, portanto, dizer-te que esta reunião não envolve outra finalidade senão homenagear o nosso ilustre hóspede, o príncipe Cluzir-el-din-Mubarec-Schá, senhor de Laore e Délhi!

Beremiz, com leve inclinação do busto, fez um salã ao grande marajá de Laore, que era o jovem de cinto de brilhantes.

Já sabíamos, das palestras habituais com que nos divertiam os forasteiros na hospedaria, que o príncipe deixara os seus ricos domínios na Índia para cumprir um dos deveres do bom muçulmano — fazer a peregrinação a Meca, a Pérola do Islã. Poucos dias, portanto, ficaria entre os muros de Bagdá; muito breve partiria, com seus numerosos servos e ajudantes, para a Cidade Santa.

— Desejamos, ó Calculista — prosseguiu Iezid —, o vosso auxílio para que possamos esclarecer uma dúvida sugerida pelo príncipe Cluzir Schá. Qual foi a contribuição com que a ciência dos hindus enriqueceu a Matemática? Quais os principais geômetras que mais se destacaram, na Índia, por seus estudos e pesquisas?

— Xeque generoso! — respondeu Beremiz. — Sinto que a tarefa que acabais de lançar-me sobre os ombros é daquelas que exigem erudição e serenidade. Erudição para conhecer, com todos os pormenores, os fatos apontados pela História das Ciências e serenidade para analisá-los e julgá-los com elevação e discernimento. Os vossos menores desejos, ó Xeque, são, entretanto, ordens para mim. Vou, pois, expor nesta brilhante reunião, como tímida homenagem ao príncipe Cluzir Schá (que acabo de ter a honra de conhecer), as pequenas noções que aprendi nos livros sobre o desenvolvimento da Matemática no país do Ganges.

E o Homem que Calculava assim começou:

— Nove ou dez séculos antes de Maomé, viveu na Índia um brâmane ilustre que se chamava Apastamba. Com o intuito de esclarecer os sacerdotes sobre os processos para construir os altares e orientar os templos, elaborou esse sábio uma obra intitulada *Suba-Sultra*, que contém numerosos ensinamentos matemáticos. É pouco provável que essa obra tenha recebido influência dos pitagóricos,[3] pois a Geometria do sacerdote hindu não segue o método dos pesquisadores gregos. Encontram-se, entretanto, nas páginas de *Suba-Sultra* vários teoremas de Matemática e pequenas regras sobre construções de figuras. Para ensinar a transformação conveniente de um altar, o judicioso Apastamba é levado a construir um triângulo retângulo cujos lados medem respectivamente 39, 36 e 15 polegadas. Para a solução desse curioso problema, aplicava o brâmane um princípio que era atribuído ao grego Pitágoras:

> *O quadrado construído sobre a hipotenusa é equivalente à soma dos quadrados construídos sobre os catetos.*

3. Geômetras gregos, discípulos de Pitágoras.

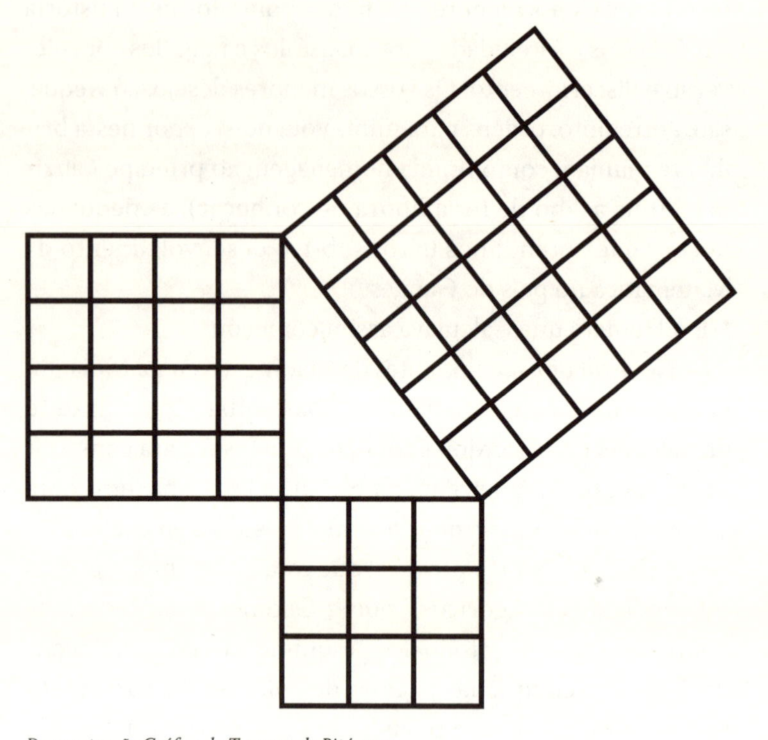

Demonstração Gráfica do Teorema de Pitágoras

Os lados do triângulo medem respectivamente três, quatro e cinco centímetros. A relação pitagórica se verifica com a igualdade:

$$5^2 = 4^2 + 3^2$$
$$25 = 16 + 9$$

E, voltando-se para o xeque Iezid, que tudo ouvia com a maior atenção, o calculista assim falou:

— Melhor poderia esclarecer, por meio de figuras, essa proposição famosa que todos devem conhecer.

O xeque Iezid ergueu a mão e fez um sinal aos seus auxiliares. Dentro de poucos instantes dois escravos trouxeram para o salão uma grande caixa com areia. Sobre a superfície clara da areia, poderia Beremiz traçar figuras e esboçar cálculos e problemas a fim de esclarecer o Príncipe de Laore.

— Aqui está — explicou Beremiz, traçando na areia com o auxílio de uma haste de bambu —, aqui está um triângulo retângulo. O lado maior é denominado *hipotenusa* e os outros dois lados chamaremos *catetos*.

Vamos, agora, construir três quadrados: um sobre a *hipotenusa*, outro sobre o primeiro *cateto* e o terceiro sobre o segundo *cateto*. Será fácil provar que o quadrado maior (construído sobre a hipotenusa) tem a área exatamente igual à soma das áreas dos dois outros quadrados (construídos sobre os catetos).

Perguntou o príncipe se aquela relação era verdadeira para todos os triângulos.

Com ar grave, respondeu Beremiz:

— Essa proposição é verdadeira para todos os triângulos retângulos. Direi, sem receio de errar, que a lei de Pitágoras exprime uma verdade eterna. Mesmo antes de brilhar o sol que os ilumina, antes de existir o ar que respiramos, já o quadrado construído sobre a hipotenusa era igual à soma dos quadrados construídos sobre os catetos.

Mostravas-se o príncipe interessadíssimo com os esclarecimentos que ouvia do calculista. E falando ao poeta Iezid, observou com simpatia:

— Coisa maravilhosa, meu amigo, é a Geometria! Que ciência notável! Percebemos em seus ensinamentos duas faces que encantam o homem mais rude e mais desinteressado pelas coisas do pensamento: clareza e simplicidade.

E tocando de leve com a mão esquerda no ombro de Beremiz, interpelou o calculista com honrosa naturalidade.

— E essa proposição, que os gregos estudaram, já aparece no tal livro *Suba-Sultra* do velho brâmane Apastamba?

Respondeu Beremiz sem hesitar:

— Sim, ó Príncipe, a chamada *Lei de Pitágoras* pode ser lida nas folhas do *Suba-Sultra* sob uma forma um pouco diferente. Pela leitura dos escritos de Apastamba aprendiam, ainda, os sacerdotes, para o cálculo dos altares, a transformar um retângulo num quadrado equivalente, isto é, num quadrado que tivesse a mesma área.

— E surgiram, na Índia, outras obras de cálculo dignas de destaque? — indagou o príncipe.

— Várias outras — acudiu, prontamente, Beremiz. — Citarei a curiosa *Suna-Sidauta*, obra de autor desconhecido, mas de muito valor, pois expõe, de forma muito singela, as regras da numeração decimal e mostra que o zero é de alta importância no cálculo. Não menos notáveis, para a Ciência dos Brâmanes, foram os escritos de dois sábios que são hoje apontados pela admiração dos geômetras: Aria-Bata e Brama-Gupta. O tratado de Aria-Bata era dividido em quatro partes: *Harmonias Celestes, O Tempo e suas Medidas, As Esferas e Elementos de Cálculo.* Não poucos foram os erros apontados nos escritos de Aria-Bata. Esse geômetra ensinava, por exemplo, que o volume da pirâmide se obtém multiplicando-se a metade da base pela altura.

— E essa regra não está certa? — interrompeu o príncipe.

— Está, na verdade, errada — respondeu Beremiz. — Totalmente errada. Para o cálculo do volume de uma pirâmide devemos multiplicar não a *metade*, mas a *terça* parte da área da base (avaliada em polegadas quadradas) pela altura (avaliada em polegadas).

Achava-se ao lado do Príncipe de Laore um homem alto,

magro, ricamente trajado, de barba grisalha, meio avermelhado. Tipo estranho nos meios dos hindus. Julguei que era um caçador de tigres; enganei-me. Era um astrólogo hindu que acompanhava o príncipe em sua peregrinação a Meca. Ostentava um turbante azul de três voltas, bastante escandaloso. Chamava-se Sadhu Gang e mostrava-se muito interessado em ouvir as palavras do calculista.

Em dado momento o astrólogo Sadhu resolveu intervir nos debates. Falando mal, com sotaque estrangeiro, perguntou a Beremiz:

— É verdade que a Geometria, na Índia, foi cultivada por um sábio que conhecia os segredos dos astros e os altos mistérios dos céus?

Aquela pergunta não perturbou o calculista. Depois de meditar durante alguns instantes, tomou Beremiz a sua haste de bambu, desmanchou todas as figuras que se achavam no tabuleiro de areia e escreveu apenas um nome:

Bháskara, o Sábio.

E disse com certa ênfase:

— Eis o nome do mais famoso geômetra da Índia. Conhecia Bháskara os segredos dos astros e estudava os altos mistérios dos céus. Nasceu esse astrônomo em Bidom, na província de Deca, cinco séculos depois de Maomé. A primeira obra de Bháskara intitulava-se *Bija-ganita.*

— *Bija-ganita*? — repetiu o homem do turbante azul. — *Bija* quer dizer *semente,* e *ganita,* num dos nossos velhos dialetos, significa *contar, avaliar, medir.*

— É isso mesmo — confirmou Beremiz numa sinceridade veemente. — É isso mesmo. A melhor tradução para o título dessa obra de Bháskara seria: a *Arte de Contar Sementes.* Mas, além do *Bija-ganita,* elaborou o judicioso Bháskara outra obra que se tornou famosa: *Lilaváti*. Sabemos que era esse o nome da filha de Bháskara.

O astrólogo do turbante azul voltou a interromper:

— Dizem que há um romance, ou uma lenda, em torno de Lilaváti. Conhece, ó Calculista, esse romance ou essa lenda?

— Sim, sim — acudiu Beremiz. — Conheço-o perfeitamente e, se for do agrado do nosso príncipe, poderei contá-la.

— Por Alá! — interveio prontamente o Príncipe de Laore. — Vamos ouvir a lenda de Lilaváti. Ponho todo o empenho em conhecê-la! A mim, palpita-me que deve ser muito interessante.

Nesse momento, a um sinal do poeta Iezid, o dono da casa, surgiram na sala cinco ou seis escravos, oferecendo, aos seus convidados, bolos de faisão, doces de leite, bebidas e tâmaras.

Logo que terminou aquela deliciosa refeição (e feitas as abluções do ritual), foi dada, novamente, a palavra ao calculista.

Beremiz ergueu-se, correu o olhar por todos os presentes, e assim começou:

— Em nome de Alá, Clemente e Misericordioso![4] Conta-se que o famoso geômetra Bháskara, o Sábio, tinha uma filha chamada Lilaváti.

A origem do *Lilaváti* é muito interessante. Vou recordála. Bháskara tinha uma filha chamada Lilaváti. Quando essa menina nasceu, consultou ele as estrelas e verificou, pela disposição dos astros, que sua filha, condenada a permanecer solteira toda a vida, ficaria esquecida pelo amor dos jovens patrícios. Não se conformou Bháskara com essa determinação do Destino e recorreu aos ensinamentos dos astrólogos mais famosos do tempo. Como fazer para que a graciosa Lilaváti pudesse obter marido, sendo feliz no casamento?

4. Essa frase faz parte do ritual. Ao iniciar uma narrativa, em público, deve o muçulmano, previamente, exaltar o nome de Deus.

Um astrólogo, consultado por Bháskara, aconselhou-o a levar a filha para a província de Dravira, junto ao mar. Havia em Dravira um templo escavado na pedra, no qual era venerada uma imagem de Buda, que trazia na mão uma estrela. Só em Dravira (assegurou o astrólogo) poderia Lilaváti encontrar um noivo, mas o casamento só seria feliz se a cerimônia do enlace fosse marcada, em certo dia, no cilindro do tempo.

Lilaváti foi, afinal, com agradável surpresa para seu pai, pedida em casamento por um jovem rico, trabalhador, honesto, e de boa casta. Fixado o dia, e marcada a hora, reuniram-se os amigos para assistir à cerimônia.

Os hindus mediam, calculavam e determinavam as horas do dia com auxílio de um cilindro colocado num vaso cheio d'água. Esse cilindro, aberto apenas em cima, apresentava pequeno orifício no centro da superfície da base. À proporção que a água, entrando pelo orifício da base, invadia lentamente o cilindro, este afundava no vaso e de tal modo que chegava a desaparecer por completo em hora previamente determinada.

Colocou Bháskara o cilindro das horas em posição adequada, com o máximo cuidado, e aguardou que a água chegasse ao nível marcado. A noiva, levada por irreprimível curiosidade, verdadeiramente feminina, quis observar a subida da água no cilindro. Aproximou-se para acompanhar a determinação do tempo. Uma das pérolas de seu vestido desprendeu-se e caiu no interior do vaso. Por uma fatalidade, a pérola, levada pela água, foi obstruir o pequeno orifício do cilindro, impedindo que nele pudesse entrar a água do vaso. O noivo e os convidados esperaram com paciência largo período de tempo. Passou-se a hora propícia sem que o cilindro indicasse o tempo como previra o sábio astrólogo. O noivo e os convidados retiraram-se para que fosse fixado, depois de consultados os astros, outro dia para o casamento. O jovem brâmane, que pedira Lilaváti em casamento, desapareceu semanas depois e a filha de Bháskara ficou para sempre solteira.

Reconheceu o sábio geômetra que é inútil lutar contra o Destino e disse à filha:

— Escreverei um livro que perpetuará o teu nome e ficarás na lembrança dos homens mais do que viveriam os filhos que viessem a nascer do teu malogrado casamento.

A obra de Bháskara tornou-se célebre e o nome de Lilaváti, a noiva malograda, surge imortal na História da Matemática.

Pelo que se refere à Matemática, *Lilaváti* faz exposição metódica da numeração decimal e das operações aritméticas sobre números inteiros; estuda minuciosamente as quatro operações, o problema da elevação ao quadrado e ao cubo, ensina a extração da raiz quadrada e chega até mesmo ao estudo da raiz cúbica de um número qualquer. Aborda depois as operações sobre números fracionários, com a conhecida regra da redução das frações ao mesmo denominador.

Para os problemas, adotava Bháskara enunciados graciosos e até românticos.

Eis um dos problemas do livro de Bháskara:

> *Amável e querida Lilaváti, de olhos doces como os da tenra e delicada gazela, dize-me qual o número que resulta da multiplicação de 135 por 12.*

Outro problema, igualmente interessante, que figura no livro de Bháskara, refere-se ao cálculo de um enxame de abelhas:

> *A quinta parte de um enxame de abelhas pousou na flor de Kadamba, a terça parte numa flor de Silinda, o triplo da diferença entre estes dois*

números voa sobre uma flor de Krutaja, e uma abelha adeja sozinha, no ar, atraída pelo perfume de um jasmim e de um pandnus. Dize-me, bela menina, qual o número de abelhas.[5]

Bháskara mostrou em seu livro que os problemas mais complicados podem ser apresentados de uma forma viva e até graciosa.

E Beremiz, sempre traçando figuras no tabuleiro de areia, apresentou ao Príncipe de Laore vários problemas curiosos, colhidos na obra *Lilaváti.*

Infeliz Lilaváti!

Ao repetir o nome da desditosa menina, lembrei-me do poeta.

Como o oceano rodeia a Terra, assim tu, mulher, rodeias o coração do mundo com o abismo das tuas lágrimas.[6]

5. A solução é 15. Ver Apêndice: O Problema das Abelhas.

6. O verso é de Tagore. Figura no livro *Pássaros Perdidos.*

19

No qual o príncipe Cluzir elogia o Homem que Calculava. O problema dos três marinheiros. Beremiz descobre o segredo de uma medalha. A generosidade do marajá de Laore.

O elogio que Beremiz fez da ciência dos hindus, recordando uma página da História da Matemática, causou ótima impressão no espírito do príncipe Cluzir Schá. O jovem soberano, impressionado pela dissertação, declarou que considerava o calculista um sábio completo, capaz de ensinar a Álgebra de Bháskara a uma centena de brâmanes.

— Fiquei encantado — ajuntou ainda — ao ouvir essa lenda da infeliz Lilaváti, que perdeu o noivo por causa de uma pérola do vestido. Os problemas de Bháskara, citados pelo eloquente calculista, são, realmente, interessantes e apresentam, nos seus enunciados, esse "espírito poético" que tão raro se encontra nas obras de Matemática. Lamentei, apenas, que o ilustre matemático não tivesse feito a menor referência ao famoso problema dos *três marinheiros*, incluído em muitos livros e que se encontra, até agora, sem solução.

— Príncipe magnânimo — respondeu Beremiz —, entre os problemas de Bháskara por mim citados não figura, na verdade, o problema dos *três marinheiros*. Omiti esse problema pela simples razão de não o conhecer senão por uma citação, vaga, incerta e duvidosa, e ignorar o seu enunciado rigoroso.

— Conheço-o perfeitamente — retorquiu o príncipe. — E teria grande prazer em recordar, agora, essa questão matemática que tem embaraçado tantos algebristas.

E o príncipe Cluzir Schá narrou o seguinte:

— Um navio que voltava de Serendibe,[1] trazendo grande partida de especiarias, foi assaltado por violenta tempestade. A embarcação teria sido destruída pela fúria das ondas se não fosse a bravura e o esforço de três marinheiros que, no meio da tormenta, manejaram as velas com extrema perícia. O comandante, querendo recompensar os denodados

1. Nome antigo de Ceilão, atual Sri Lanka.

marujos, deu-lhes certo número de catis.[2] Esse número, superior a duzentos, não chegava a trezentos. As moedas foram colocadas numa caixa para que no dia seguinte, por ocasião do desembarque, o almoxarife as repartisse entre os três corajosos marinheiros. Aconteceu, porém, que, durante a noite, um dos marinheiros acordou, lembrou-se das moedas e pensou: "Será melhor que eu tire a minha parte. Assim não terei ocasião de discutir ou brigar com os meus amigos." E, sem nada dizer aos companheiros, foi, pé ante pé, até onde se achava guardado o dinheiro, dividiu-o em três partes iguais, mas notou que a divisão não era exata e que sobrava um catil. "Por causa desta mísera moedinha é capaz de haver amanhã discussão e rixa. O melhor é jogá-la fora." E o marinheiro atirou a moeda ao mar, retirando-se cauteloso. Levava a sua parte e deixava no mesmo lugar a que cabia aos companheiros. Horas depois o segundo marinheiro teve a mesma ideia. Foi à arca em que se depositara o prêmio coletivo e dividiu-o em três partes iguais. Sobrava uma moeda. Ao marujo, para evitar futuras dúvidas, veio à lembrança atirá-la ao mar. E dali voltou levando consigo a parte a que se julgava com direito. O terceiro marinheiro, ignorando, por completo, a antecipação dos colegas, teve o mesmo alvitre. Levantou-se de madrugada e foi, pé ante pé, à caixa dos catis. Dividiu as moedas que lá encontrou em três partes iguais; a divisão não foi exata. Sobrou um catil. Não querendo complicar o caso, o marujo atirou ao mar a moedinha excedente, retirou a terça parte para si e voltou tranquilo para o seu leito. No dia seguinte, na ocasião do desembarque, o almoxarife do navio encontrou um punhado de catis na caixa. Soube que essas moedas pertenciam aos

2. *Catil*, moeda; unidade de peso.

três marinheiros. Dividiu-as em três partes iguais, dando a cada um dos marujos uma dessas partes. Ainda dessa vez a divisão não foi exata. Sobrava uma moeda, que o almoxarife guardou como paga do seu trabalho e de sua habilidade. É claro que nenhum dos marinheiros reclamou, pois cada um deles estava convencido de que já havia retirado da caixa a parte que lhe cabia do dinheiro. Pergunta-se, afinal: Quantas eram as moedas? Quanto recebeu cada um dos marujos?

O Homem que Calculava, notando que a história narrada pelo príncipe despertara grande curiosidade entre os nobres presentes, achou que devia dar solução completa ao problema. E assim falou:

— As moedas, uma vez que eram em número superior a 200 e não chegaram a 300, deviam ser a princípio em número de 241. O 1º marinheiro dividiu-as em três partes iguais; jogou um catil ao mar e levou um terço de 240, isto é, 80 moedas, deixando 160.

$$\begin{array}{r|l} 241 & 3 \\ \hline 01 & 80 \end{array}$$

Divisão feita pelo 1º marinheiro.
Dividindo 241 por 3 dá 80 e sobra 1.

O 2º marinheiro encontrou, portanto, 160; jogou uma moeda no mar e dividiu as restantes (159) em três partes. Retirou uma terça parte (53) e deixou, de resto, 106. O 3º marinheiro encontrou, na caixa, 106 moedas, dividiu esse resto em três partes iguais, deitando ao mar a moeda que sobrava. Retirou uma terça parte de 105, isto é, 35 moedas, deixando um resto de 70.

O almoxarife encontrou 70 moedas; retirou uma e dividiu as 69 restantes em três partes, cabendo, dessa forma, um acréscimo de 23 moedas a cada um dos marujos. A divisão foi, portanto, a seguinte:

1º marujo (80+23)	**103**
2º marujo (53+23	**76**
3º marujo (35+23)	**58**
Almoxarife	**1**
Atiradas no mar	**3**
Total	**241**

160 : 3 = 53 QUOCIENTE 1 RESTO

Divisão feita pelo 2º marinheiro. Dividindo 160 por 3 dá 53 e sobra 1.

160 : 3 = 35 QUOCIENTE 1 RESTO

Divisão feita pelo 3º marinheiro. Dividindo 106 por 3 dá 35 e sobra 1.

Enunciada a parte final da solução[3] do problema dos três marinheiros, calou-se Beremiz.[4]

O príncipe de Lahore tirou da sua bolsa uma medalha de prata e, dirigindo-se ao calculista, assim falou:

— Pela interessante solução dada ao problema dos três mari-

3. No enunciado de Bháskara, o número 79 resolve o problema.

4. Ver Apêndice: O Problema dos Três Marinheiros.

nheiros, vejo que és capaz de dar explicação aos enigmas mais intrincados que envolvem números e cálculos. Quero, pois, que me deslindes o significado desta medalha.

Esta peça — continuou o príncipe, segurando a medalha na ponta dos dedos — foi gravada por um artista religioso que viveu vários anos na corte de meu avô. Deve encerrar um enigma que até hoje magos e astrólogos não conseguiram decifrar. Numa das faces aparece o número cento e vinte e oito rodeado por sete pequenos rubis. Na outra face (dividida em quatro partes) apresenta quatro números:

7, 21, 2, 98

Nota-se que a soma desses quatro números é igual a 128. Mas qual é, na verdade, a significação dessas quatro parcelas em que foi dividido o número 128? Que relação poderá existir entre o número 7 e o número 128?

Recebeu Beremiz a estranha medalha das mãos do príncipe, examinou-a em silêncio, durante algum tempo, e depois assim falou:

— Esta medalha, ó Príncipe, foi gravada por um profundo conhecedor do misticismo numérico. Acreditavam os antigos no poder mágico de certos números. O *três* era divino; o *sete* era o número sagrado. Os sete rubis que vemos aqui revelam a preocupação do artista em relacionar o número 128 com o número 7. O número 128, como sabemos, é decomponível num produto de 7 fatores iguais a 2:

$$2 \times 2 \times 2 \times 2 \times 2 \times 2 \times 2$$

Esse número 128 pode ser decomposto em quatro partes:

7, 21, 2 E 98

que apresentam a seguinte propriedade:

A primeira aumentada de 7, a segunda diminuída de 7, a terceira multiplicada por 7 e a quarta dividida por 7 darão o mesmo resultado. Veja bem:

$$7 + 7 = 14$$
$$21 - 7 = 14$$
$$2 \times 7 = 14$$
$$98 \div 7 = 14$$

Essa medalha deve ter sido usada como talismã, pois contém relações que envolvem o número sete, que, para os religiosos, era um número sagrado.[5]

Mostrou-se o príncipe de Lahore encantado com a solução apresentada por Beremiz e ofereceu-lhe, como presente, não só a medalha dos sete rubis como uma bolsa com cem moedas de ouro.

O príncipe era generoso e bom.

Passamos, a seguir, para uma grande sala onde o poeta Iezid ia oferecer riquíssimo banquete aos seus convidados.

5. Ver Apêndice: O Problema do Número Quadripartido.

20

No qual Beremiz dá a segunda aula de Matemática. Número e sentido de número. Os algarismos. Os sistemas de numeração. Numeração decimal. O zero. Ouvimos novamente a voz da aluna invisível. O gramático Doreid cita um poeta.

Terminada a refeição, a um sinal do xeque Iezid, levantou-se o calculista. Era chegada a hora marcada para a segunda aula de Matemática. A "aluna invisível" já se achava à espera do professor.

Depois de saudar o príncipe e os xeques que palestravam no salão, Beremiz, acompanhado de uma escrava, encaminhou-se para o aposento já preparado para a lição.

Levantei-me também, e acompanhei o calculista, pois pretendia valer-me da autorização que me fora concedida e que me permitia assistir às preleções feitas à jovem Telassim.

Um dos presentes, o gramático Doreid, amigo do dono da casa, mostrou, também, desejo de ouvir a preleção de Beremiz, e seguiu-nos deixando a companhia do príncipe Cluzir Schá. Era Doreid homem de meia-idade, muito risonho, de rosto anguloso e expressivo.

Atravessamos uma riquíssima galeria forrada por lindos tapetes persas e, guiados por uma escrava circassiana de estonteante beleza, chegamos afinal à sala onde devia realizar-se a aula de Matemática. O primitivo reposteiro vermelho que ocultava Telassim fora substituído por outro, azul, que apresentava, no centro, grande heptágono estrelado.

Eu e o gramático Doreid sentamo-nos ao canto da sala, perto da janela que abria para o jardim. Beremiz acomodou-se, como da primeira vez, bem no centro, sobre amplo coxim de seda. A seu lado, sobre uma mesinha de ébano, repousava um exemplar do Alcorão. A escrava circassiana da confiança do xeque Iezid e uma outra, persa, de olhos doces e ridente, postaram-se junto à porta. O egípcio, encarregado da guarda pessoal de Telassim, encostou-se a uma coluna.

Depois da prece, Beremiz assim falou:

— Ignoramos, senhora, quando a atenção do homem foi despertada pela ideia do número. As investigações feitas pelos filósofos remontam aos tempos que já não mais se percebem através da neblina do passado.

Aqueles que estudam a evolução do número demonstram que, mesmo entre os homens primitivos, já era a inteligência humana dotada de faculdade especial a que chamaremos o "*sentido do número*". Essa faculdade permite reconhecer, de forma puramente visual, se uma reunião de objetos foi aumentada ou diminuída, isto é, se sofreu modificações numéricas.

Não se deve confundir o *sentido do número* com a faculdade de contar. Só a inteligência humana pode atingir o grau de abstração capaz de permitir a *conta*, ao passo que o sentido do número é observado entre muitos animais.

Alguns pássaros, por exemplo, na contagem dos ovos que deixam no ninho, podem distinguir *dois* de *três*. Certas vespas chegam a reconhecer os números *cinco* e *dez*.

Os selvagens de uma tribo do norte africano conheciam todas as cores do arco-íris e designavam cada cor por um nome. Pois bem, essa tribo não conhecia palavra correspondente a *cor*. Assim, também, muitos idiomas primitivos apresentam palavras para designar um, dois, três etc., e não encontramos, nesses idiomas, um vocábulo especial para designar *números*, de modo geral.

Mas qual é a origem do número?

Não sabemos, senhora, responder a essa pergunta.

Caminhando pelo deserto o beduíno avista, ao longe, uma caravana.

A caravana desfila vagarosamente. O camelos caminham transportando homens e mercadorias.

Quantos camelos são? Para atender a essa dúvida ele é levado a empregar o *número*.

São quarenta? São cem?

Para chegar ao resultado, precisa o beduíno pôr em exercício uma certa atividade, isto é, o beduíno precisa *contar.*

Para contar, ele relaciona cada objeto da coleção com um certo símbolo:

Um, dois, três, quatro...

Para dar um resultado da *conta,* ou melhor, o *número,* ele precisa inventar um *sistema de numeração.*

O mais antigo sistema de numeração é o *quinário,* isto é, sistema em que as unidades se agrupam de cinco em cinco.

Uma vez contadas cinco unidades, obtínhamos uma coleção denominada *quina.* Assim, 8 unidades seriam 1 quina e mais 3 e escreveríamos 13. Importa pois dizer que nesse sistema o segundo algarismo à esquerda valia cinco vezes mais do que se estivesse na primeira casa. O matemático diz, por isso, que a *base* desse sistema era 5.

Desse sistema ainda se encontram vestígios nos poemas antigos.

Adotavam os caldeus um sistema de numeração cuja base era o número 60.

0 0 0 0 0
0 0 0 0 0
0 0 0 0 0
0 0

No primitivo sistema *quinário,* o número de discos acima seria 32.

E assim, na antiga Babilônia, o símbolo

1.5

indicaria o número 65.

O sistema de base vinte também teve a preferência de vários povos.

No sistema de base vinte, o número 90 seria indicado pela notação

4.10

que seria lido: quatro vinte e mais dez.[1]

Surgiu, depois, senhora, o sistema de base 10, que se apresentava melhor para a expressão dos grandes números. A origem desse sistema é explicada pelo número total de dedos das duas mãos. Em certas classes de mercadores encontramos decidida preferência pela base *doze*, isto é, a contagem pela dúzia, meia dúzia, quarto de dúzia etc.

A dúzia apresenta, sobre a dezena, uma grande vantagem: o número 12 tem mais divisores do que o número 10.[2]

O sistema decimal é, entretanto, universalmente adotado. Desde o tuaregue,[3] que conta com os dedos, até o matemático, que maneja instrumentos de cálculo, todos contamos de dez em dez. Dadas as divergências profundas entre os povos, semelhante universalidade é surpreendente: não se pode jactar de outro tanto nenhuma religião, código moral, forma de governo, sistema econômico, princípio filosófico, artístico, nem

1. Observe o que ocorre no francês: *quatre-vingt-dix* e no inglês: *one score, two score* etc.

2. Os divisores de 12 são seis, a saber: 12, 6, 4, 3, 2 e 1. Os divisores de 10 são apenas quatro: 10, 5, 2 e 1.

3. Nômade do norte da África.

a linguagem, nem mesmo alfabeto algum. Contar é um dos poucos assuntos em torno do qual os homens não divergem, pois o têm como a coisa mais simples e natural.

Observando, senhora, as tribos selvagens e a forma de agir das crianças, é óbvio que os dedos são base de nosso sistema numérico. Por serem 10 os dedos de ambas as mãos, começamos a contar até esse número e baseamos todo o nosso sistema em grupos de 10. Um pastor que necessitava estar seguro de que tinha as suas ovelhas ao anoitecer teve que exceder, ao contar o rebanho, a sua primeira dezena. Numerava as ovelhas que desfilavam por sua frente, dobrando para cada uma um dedo, e quando já tinha dobrado os dez dedos, atirava um calhau no chão limpo. Terminada a tarefa, os calhaus[4] representavam o número de "mãos completas" (dezenas) de ovelhas do rebanho. No dia seguinte podia refazer a conta comparando os montinhos de calhaus. Logo ocorreu a algum cérebro propenso ao abstrato que se podia aplicar aquele processo a outras coisas úteis, como as tâmaras, o trigo, os dias, as distâncias e as estrelas. E se, em vez de atirar calhaus, fazia marcas diferentes e duradouras, então já se tinha um sistema de *numeração escrita*.

Todos os povos adotaram na sua linguagem falada o sistema decimal; os outros sistemas foram abolidos e rejeitados. Mas a adaptação de tal sistema à numeração escrita só se fez muito lentamente.

Foi necessário o esforço de vários séculos para que a humanidade descobrisse uma solução perfeita para o problema de representação gráfica dos números.

Para representá-los imaginou o homem caracteres especiais chamados *algarismos*, representando cada um desses sinais os vocábulos: *um, dois, três, quatro, cinco, seis, sete, oito e nove.*

4. *Calhau*, em latim, é calculus.

Outros sinais auxiliares tais como *d, c, m* etc. indicavam que o algarismo que o acompanhava representava dezena, centena, milhar, etc. Assim, um matemático antigo representava o número 9.765 pela notação 9m7c6d5. Os fenícios, que foram os grandes mercadores da antiguidade, em vez de letras, usavam acentos: 9'''7''6'5.

Os gregos, a princípio, não adotaram esse sistema. A cada letra do alfabeto, acrescida de um acento, atribuíam um valor: assim, a primeira letra (alfa) era 1; a segunda letra (beta) era 2; a terceira (gama) era 3, e assim por diante, até o número 19. O 6 fazia exceção; esse número era representado por um sinal especial (estigma).[5]

Combinando, depois, as letras duas a duas, representavam, 20, 21, 22 etc.

O número 4.004 era representado, no sistema grego, por dois algarismos; o número 2.022, por três algarismos diferentes; o número 3.333 era representado por 4 algarismos que diferiam por completo uns dos outros.

Menor prova de imaginação deram os romanos, contentando-se com três caracteres I, V e X, para formarem os dez primeiros números e com os caracteres *L* (cinquenta), *C* (cem), *D* (quinhentos), *M* (mil), que combinavam, a seguir, com os primeiros.

Os números escritos em algarismos romanos eram, assim, de uma complicação absurda e prestavam-se tão mal às operações mais elementares da Aritmética, que uma simples adição era um tormento. Com a escrita púnica, a adição podia, na verdade, fazer-se no papel (ou antes, no papiro, porque não se inventara ainda o papel), mas era preciso dispor os números uns debaixo de outros, de tal sorte que os algarismos com

5. Os gregos criaram dois outros sinais além do *estigma*. Para representar 90 empregavam o *copa* e para representar o número 900, o *sampi*.

o mesmo final ficassem na mesma coluna, o que obrigava a manter entre os algarismos os intervalos necessários para levar em conta a ausência de qualquer ordem que faltasse.

Estava a ciência dos números neste pé havia quatrocentos anos, quando um hindu, o qual a ciência não conservou o nome, imaginou empregar um caráter especial, o zero,[6] para marcar, num número escrito, a falta de toda unidade de ordem decimal, não efetivamente representada por algarismos. Graças a esta invenção, todos os sinais, índices e letras tornaram-se inúteis; ficaram apenas os nove algarismos e o zero. A possibilidade de escrever um número qualquer por meio de dez caracteres somente foi o primeiro milagre do zero.

Os geômetras árabes apoderaram-se da invenção do hindu e notaram que, acrescentando um zero à direita de um número, se elevava, automaticamente, a ordem decimal a que pertenciam seus diferentes algarismos. Fizeram do zero um operador, que efetua, instantaneamente, toda multiplicação por dez.

E ao caminhar, senhora, pela longa e luminosa estrada da Ciência, devemos ter sempre, diante de nós, o sábio conselho do poeta e astrônomo Omar Khayyám (que Alá o tenha em sua glória!). Eis o que ensinava Omar Khayyám:

> *Que a tua sabedoria não seja humilhação para o teu próximo. Guarda domínio sobre ti mesmo e nunca te abandones à tua cólera. Se esperas a paz definitiva, sorri ao destino que te fere; não firas a ninguém.*[7]

---

6. A palavra zero vem do árabe, *sifr*, vazio, que é tradução do sânscrito *súnia*. O vocábulo *sifr* deu, propriamente, *cifra* em português, isto é, sinal numérico, algarismo. A forma zero vem dos vocábulos *zefro* e *zéfiro*, sendo esta última encontrada na obra de Leonardo Pisano, geômetra notável que viveu no século XII.

7. Versos de Omar Khayyám, tradução de Otávio Tarquínio de Souza.

E aqui termino, senhora, à sombra de um poeta famoso, as pequenas indicações que pretendia desenvolver sobre a origem dos números e dos algarismos. Veremos na próxima aula (se Alá quiser!) quais as principais operações que podemos efetuar com os números e as propriedades que estes apresentam!

Calou-se Beremiz. Findara a segunda aula de Matemática.

Ouvimos, então, pela voz cristalina de Telassim, os seguintes versos:

Dá-me, ó Deus, forças para tornar o meu amor
frutuoso e útil.
Dá-me forças para jamais desprezar o pobre
nem curvar o joelho ante o poder insolente.
Dá-me forças para levantar o espírito bem alto,
acima das futilidades de todo dia.
Dá-me forças para que me humilhe, com amor,
diante de ti.
Não sou mais que um farrapo de nuvens de
outono, vagando inútil pelo céu, ó Sol glorioso!
Se é teu desejo e teu aprazimento, toma do meu
nada, pinta-o de mil cores, irisa-o de ouro,
fá-lo flutuar no vento, e espalha-o pelo céu em
múltiplas maravilhas...
E depois, se for teu desejo terminar à noite tal
recreio, eu desaparecerei, esvaecendo-me em
treva, ou talvez em um sorriso de alvorada, na
frescura da pureza transparente.[8]

— É admirável! — balbuciou, a meu lado, o gramático Doreid.

— Sim — concordei. — A Geometria é admirável.

8. Estes versos são de Tagore. Ver Índice de autores.

— Qual Geometria, qual nada! — protestou o meu importuno vizinho. — Não vim aqui para ouvir essa história infindável de números e algarismos! Isso não me interessa! Qualifiquei de admirável a voz de Telassim!

E como eu o fitasse muito espantado, diante daquela franqueza rude, ele ajuntou, num trejeito malicioso:

— Sempre julguei que, ao permanecer nesta sala, durante a aula, pudesse ver o rosto da jovem. Dizem que ela é formosa como a quarta lua do mês de Ramadã! É uma verdadeira Flor do Islã!

E levantou-se, cantarolando baixinho:

Se estás ociosa e te quedas negligente, deixando
o cântaro boiar sobre a água, vem, oh! vem para
o meu lago!
Verdeja na encosta a relva espessa, e as flores
silvestres são sem conta.

Os teus pensamentos voarão dos teus olhos
negros, como os pássaros voam dos seus ninhos.
E o teu véu cair-te-á aos pés.
Vem, oh! vem para o meu lago![9]

Deixamos, com plácida tristeza, a sala cheia de luz.

Notei que Beremiz não trazia mais no dedo o anel que havia ganho na hospedaria no dia de nossa chegada. Teria perdido a sua joia de estimação?

A escrava circassiana olhava vigilantíssima, como se temesse o sortilégio de algum djim invisível.

9. Versos de Tagore.

21

No qual começo a copiar livros de Medicina. Grandes progressos da aluna invisível. Beremiz é chamado a resolver um problema. A metade do “x” da vida. O rei Mazim e as prisões de Korassã. Um verso, um problema e uma lenda. A justiça do rei Mazim.

Nossa vida, na bela cidade dos califas, tornava-se, dia a dia, cada vez mais agitada e trabalhosa. O vizir Maluf encarregou-me de copiar dois livros do filósofo Rhazes.[1] São livros que encerram conhecimentos de Medicina. Leio em suas páginas indicações de alto valor sobre o tratamento do sarampo, a cura das enfermidades da infância, dos rins, das articulações e de mil outros males que afligem os homens. Preso por esse trabalho, fiquei impossibilitado de continuar a assistir às aulas de Beremiz em casa do xeique Iezid.

Pelas informações que ouvi do meu amigo calculista, a "aluna invisível", nas últimas semanas, fizera extraordinários progressos na ciência de Bháskara. Já conhecia quatro operações com os números, os três primeiros livros de Euclides e calculava as frações com numerador 1, 2 ou 3.[2]

Certo dia, ao cair da tarde, íamos iniciar a nossa modesta refeição, que consistia apenas em meia dúzia de pastéis de carneiro com cebolas, mel, farinha e azeitonas, quando ouvimos na rua grande tropel de cavalos e, em seguida, gritos, vozes de comando e pragas de soldados turcos.

Levantei-me um pouco assustado. Que teria acontecido? Tive a impressão de que a hospedaria fora cercada por tropa e que outra violência ia ser levada a efeito por ordem do intolerante chefe de Polícia.

A algazarra inesperada não perturbou Beremiz. Inteiramente alheio aos acontecimentos da rua, continuou, como se achava, a traçar, com um pedaço de carvão, figuras geométricas numa grande prancha de madeira. Extraordinário, aquele homem! As agitações mais graves, o perigo, as ameaças dos poderosos não conseguiam desviá-lo de seus estudos matemáticos. Se

1. O maior vulto da antiga ciência muçulmana. Em seus livros muitas gerações estudaram Medicina.

2. Os matemáticos árabes não dispunham de nomes para designar os termos das frações.

Asrail, o Anjo da Morte, surgisse ali, de repente, trazendo na lâmina do candjar a sentença do Irremediável, ele continuaria impassível a traçar curvas, ângulos e a estudar as propriedades das figuras, das relações e dos números.

O pequeno aposento em que nos achávamos foi invadido pelo velho Salim, que se fazia acompanhar de dois servos negros e um cameleiro. Mostravam-se todos assustadíssimos, como se algo muito grave tivesse ocorrido.

— Por Alá! — gritei impaciente. — Não perturbem o nosso calculista! Que algazarra é essa? Temos nova revolta em Bagdá? Desabou a mesquita de Colimã?

— Senhor — gaguejou o velho Salim, com voz trêmula de susto —, a escolta... Uma escolta de soldados turcos acaba de chegar!

— Pelo santo nome de Maomé! Que escolta é essa, ó Salim?

— É a escolta do poderoso grão-vizir Ibraim Maluf el Barad (que Alá o cubra de benefícios!). Os soldados vieram com ordem de levar, imediatamente, o calculista Beremiz Samir!

— Para que tanta bulha, ó chacais! — bradei, exaltado. — Isso não tem importância alguma! Naturalmente o vizir, nosso bom amigo e protetor, deseja resolver, com urgência, um problema de matemática, e precisa do valioso auxílio do nosso sábio calculista!

As minha previsões saíram certas como os cálculos mais perfeitos de Beremiz.

Momentos depois, levados pelos oficiais da escolta, chegamos ao palácio do vizir Maluf.

Encontramos o poderoso ministro no rico salão das audiências, acompanhado de três auxiliares de sua confiança. Tinha na mão uma folha cheia de números e cálculos.

Que novo problema seria aquele que viera perturbar tão

profundamente o espírito do digno auxiliar do califa?

— O caso é grave, ó Calculista! — começou o vizir, dirigindo-se a Beremiz. — Acho-me, no momento, embaraçado com um dos mais complicados problemas que tenha visto em toda a minha vida. Quero informar-vos minuciosamente dos antecedentes do caso, pois só com vosso auxílio poderemos, talvez, descobrir uma solução.

E o vizir narrou o seguinte:

— Anteontem, poucas horas antes de nosso glorioso califa Al-Motacém, Emir dos Crentes, partir para Báçora (onde vai ficar três semanas), houve um incêndio na prisão. Durante muitas horas a violência do fogo ameaçou destruir tudo. Os detentos, fechados em suas celas, sofreram, por muito tempo, tremendo suplício, torturados por indizíveis angústias. Diante disso, o nosso generoso soberano determinou fosse reduzida à metade a pena de todos os condenados! A princípio não demos importância alguma ao caso, pois parecia muito simples ordenar se cumprisse, com todo o rigor, a sentença do rei. No dia seguinte, porém, quando a caravana do Príncipe dos Crentes já se achava longe, verificamos que a tal sentença de última hora envolvia problema extremamente delicado, sem a solução do qual não poderia ter perfeita execução.

— Entre os detentos — prosseguiu o ministro — beneficiados pela lei, existe um contrabandista de Báçora, chamado Sanadique, preso há quatro anos, condenado a prisão perpétua. A pena desse homem deve ser reduzida à metade. Ora, como ele foi condenado à prisão por toda a vida, segue-se que deverá agora, em virtude da lei, ser perdoado da metade da pena, ou melhor, da metade do tempo que ainda lhe resta viver. Viverá ele, ainda, certo tempo "x", desconhecido! Como dividir por dois um período de tempo que ignoramos? Como calcular a metade do "x" da vida?

Depois de meditar alguns minutos, Beremiz respondeu:

— Esse problema parece-me extremamente delicado, por envolver questão de pura Matemática e interpretação de lei. É um caso que interessa à justiça dos homens e à verdade dos números. Não posso discuti-lo, com os prodigiosos recursos da Álgebra e da Análise, antes de visitar a cela em que se acha o condenado Sanadique. É possível que o "x" da vida esteja calculado pelo Destino, na parede da cela do próprio condenado.

— Julgo infinitamente estranho o vosso alvitre — observou o vizir. — Não me entra na cabeça a relação que possa existir entre as pragas com que os loucos e os condenados adornam os muros das prisões e a resolução algébrica de tão delicado problema.

— Sidi! — atalhou Beremiz. — Encontram-se, muitas vezes, nas paredes das prisões, legendas interessantes, fórmulas, versos e inscrições que nos esclarecem o espírito e nos orientam os sentimentos de bondade e clemência. Conta-se que, certa vez, o rei Mazim, senhor da rica província de Korassã, foi informado de que um presidiário hindu escrevera palavras mágicas na parede de sua cela. O rei Mazim chamou um escriba diligente e hábil e determinou-lhe copiasse todas as letras, figuras, versos ou números que encontrasse nas paredes sombrias da prisão. Muitas semanas gastou o escriba para cumprir, na íntegra, a ordem extravagante do rei. Afinal, depois de pacientes esforços, levou ao soberano dezenas de folhas cheias de símbolos, palavras ininteligíveis, figuras disparatadas, blasfêmias de loucos e números inexpressivos. Como traduzir ou decifrar aquelas páginas repletas de coisas incompreensíveis? Um dos sábios do país, consultado pelo monarca, disse: "Rei! Essas folhas contêm maldições, pragas, heresias, palavras cabalísticas, lendas e até um problema de Matemática com cálculos e figuras."

Respondeu o rei: "As maldições, pragas e heresias não acordam a curiosidade que me vive no espírito. As palavras cabalísticas deixam-me indiferente; não acredito no poder oculto das letras nem na força misteriosa dos símbolos humanos. Interessa-me, entretanto, conhecer o verso, o problema e a lenda, pois são produções que nobilitam o homem e podem trazer consolo ao aflito, ensinamento ao leigo e advertência ao poderoso."

Diante do pedido do monarca, disse o ulemá:

— Eis os versos escritos por um dos condenados:

A felicidade é difícil porque somos muito
difíceis em matéria de felicidade.
Não fales da tua felicidade a alguém menos
feliz do que tu.
Quando não se tem o que se ama é preciso amar
o que se tem.[3]

Eis agora o problema escrito a carvão na cela de um condenado.

Colocar 10 soldados em cinco filas, tendo cada
fila 4 soldados.

3. Mme. de Staël; Pitágoras; Corneille.

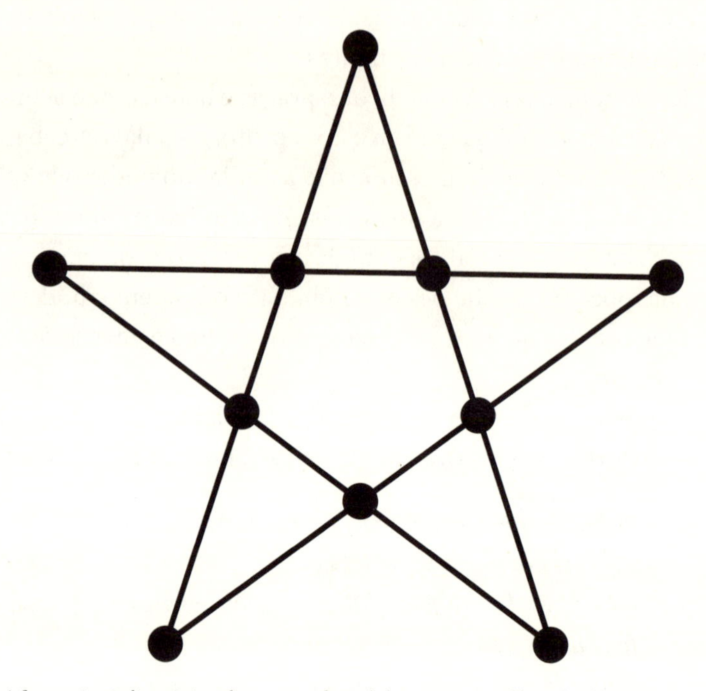

A figura acima indica a única solução que pode ser dada ao seguinte problema: "Colocar 10 soldados em 5 filas, tendo cada fila 4 soldados."

Colocados sobre os lados e os vértices do pentágono estrelado, cada soldado figura em duas filas.

Esse problema, aparentemente impossível, tem solução muito simples, indicada pela figura, na qual aparecem cinco filas com 4 soldados em cada.

E a seguir o ulemá, para atender ao pedido do rei, leu a seguinte lenda:

"Conta-se que o jovem Tzu-Chang dirigiu-se um dia ao grande Confúcio e perguntou-lhe:

— Quantas vezes, ó esclarecido filósofo, deve um juiz refletir antes de sentenciar?

Respondeu Confúcio:

— Uma vez hoje; dez vezes amanhã.

Assombrou-se o príncipe Tzu-Chang ao ouvir as palavras do sábio. O conceito era obscuro e enigmático.

— Uma vez será suficiente — elucidou com paciência o Mestre — quando o juiz, pelo exame da causa, concluir pelo perdão. Dez vezes, porém, deverá o magistrado pensar, sempre que se sentir inclinado a lavrar sentença condenatória.

E concluiu, com sua incomparável sabedoria:

— Erra, por certo, gravemente, aquele que hesita em perdoar; erra, entretanto, muito mais ainda aos olhos de Deus, aquele que condena sem hesitar."

Admirou-se o rei Mazim ao saber que havia, nas paredes úmidas das enxovias, escrita pelos míseros detentos, tanta coisa cheia de beleza e curiosidade. Naturalmente, em meio de quantos amarguravam seus dias no fundo das celas, havia inteligentes e cultos. Determinou, pois, o rei, fossem revistos todos os processos de julgamento e verificou que inúmeras sentenças traduziam clamorosas injustiças. E assim, em consequência da descoberta feita pelo escriba, viram-se restituídos à liberdade muitos inocentes e foram reparadas dezenas de erros judiciários.

— Tudo isso pode ser muito interessante — retorquiu o vizir Maluf. — Mas é bem possível que nas prisões de Bagdá não se possa encontrar figuras geométricas, versos ou lendas morais. Quero ver, porém, o resultado a que pretendeis chegar. Vou permitir, portanto, a vossa visita à prisão.

22

Que ocorreu durante a nossa visita às prisões de Bagdá. Como Beremiz resolveu o problema da metade do "x" da vida. O instante de tempo. A libertação condicional. Beremiz esclarece os fundamentos de uma sentença.

A grande prisão de Bagdá tinha o aspecto de uma fortaleza persa ou chinesa. Atravessava-se, ao entrar, pequeno pátio em cujo centro se via o famoso Poço da Esperança. Era ali que o condenado, ao ouvir a sentença, deixava cair, para sempre, todas as esperanças de salvação.

Ninguém poderá imaginar a vida de sofrimentos e misérias daqueles que eram atirados no fundo das masmorras da gloriosa cidade árabe.

A cela em que se achava o infeliz Sanadique estava localizada na parte baixa da prisão. Chegamos ao horripilante subterrâneo do presídio guiados pelo carcereiro e auxiliados por dois guardas. Um escravo núbio, agigantado, conduzia o grande archote cuja luz nos permitia observar todos os recantos da prisão.

Depois de percorrermos um corredor estreito, que mal dava passagem a um homem, descemos uma escadaria úmida e escura. No fundo do subterrâneo achava-se o pequeno calabouço onde fora encarcerado Sanadique. Ali não entrava a mais tênue réstia de luz. O ar pesado e fétido mal se podia respirar, sem náuseas e tonteiras. O chão estava coberto de uma camada de lama pútrida e não havia entre as quatro paredes nenhuma peça ou catre de que se pudesse servir o condenado.

À luz do archote que o hercúleo núbio erguia, vimos o desventurado Sanadique, seminu, a barba espessa e emaranhada, os cabelos em desalinho a lhe caírem pelos ombros, sentado sobre uma laje, as mãos e os pés presos a correntes de ferro.

Beremiz observou em silêncio, com vivo interesse, o desventurado Sanadique. Era inacreditável pudesse um homem resistir, com vida, durante quatro anos, àquela situação desumana e dolorosa!

As paredes da cela, cheias de manchas de umidade, achavam-se repletas de legendas e figuras — estranhos indícios de muitas gerações de infelizes condenados. Tudo aquilo Beremiz examinou, leu e traduziu com minucioso cuidado — parando de quando em vez para fazer cálculos que me pareciam longos e laboriosos. Como poderia o calculista, entre as maldições e blasfêmias, descobrir a metade do "x" da vida?

Grande foi a sensação de alívio que senti ao deixar a prisão sombria onde eram torturados os míseros detentos. Ao chegar de volta ao rico divã das audiências, apareceu-nos o grão-vizir Maluf rodeado de cortesãos, secretários e vários xeques e ulemás da corte. Aguardavam todos a chegada de Beremiz, pois queriam conhecer a fórmula que o calculista iria empregar para resolver o problema de metade da prisão perpétua.

— Estávamos à vossa espera, ó Calculista! — cortejou afável o vizir. — E peço-vos apresenteis, sem mais delonga, a solução do grande problema. Temos a maior urgência em fazer cumprir a sentença do nosso grande Emir!

Ao ouvir essa ordem, Beremiz inclinou-se respeitoso, fez o habitual salã e assim falou:

— O contrabandista Sanadique, de Báçora, preso há quatro anos na fronteira, foi condenado a prisão perpétua. Essa pena acaba, porém, de ser reduzida à metade por justa e sábia sentença do nosso glorioso califa Al-Motacém, Comendador dos Crentes, sombra de Alá na Terra!

Designamos por x o período da vida de Sanadique, período que vai do momento em que foi preso e condenado até o termo de seus dias. Sanadique foi, portanto, condenado a x anos de prisão, isto é, a prisão por toda a vida. Agora, em virtude da régia sentença, essa pena irá reduzir-se à metade. Se dividirmos o tempo x em vários períodos, importa dizer que a cada período de prisão deve corresponder período igual de liberdade.

— Perfeitamente certo! — concordou o vizir com um ar de inteligência. — Compreendo muito bem o seu raciocínio.

— Ora, como Sanadique já esteve preso durante quatro anos, é claro que deverá ficar em liberdade, durante igual período, isto é, durante quatro anos.

Com efeito: imaginemos que um mago genial pudesse prever o número exato de anos de vida de Sanadique e nos dissesse agora: "Esse homem, no momento em que foi preso, tinha apenas 8 anos de vida." Ora, nesse caso, teríamos o x igual a 8, isto é, Sanadique teria sido condenado a 8 anos de prisão, e essa pena ficaria, agora, reduzida a 4 anos. Como Sanadique já está preso há quatro anos, é claro que já cumpriu o total da pena e deve ser considerado livre. Se o contrabandista, pelas determinações do Destino, houver de viver mais de 8 anos, a sua vida (x maior que 8) poderá ser decomposta em três períodos: um de 4 anos de prisão (já decorrido), outro de 4 anos de liberdade e um terceiro que deverá ser dividido em duas partes iguais (prisão e liberdade). É fácil concluir que, para qualquer valor de x (desconhecido), o detento terá de ser posto imediatamente em liberdade, ficando livre durante quatro anos, pois tem absoluto direito a esse período de liberdade, conforme demonstrei, de acordo com a lei!

Findo esse prazo, ou melhor, terminado esse período, deverá voltar à prisão e ficar recluso apenas durante um tempo igual à metade do resto de sua vida.[1]

Seria fácil, talvez, prendê-lo durante um ano e conceder-lhe liberdade durante o ano seguinte; ficaria, graças a essa resolução, um ano preso e um ano solto, e passaria, desse modo, a metade de sua vida em liberdade — conforme manda a sentença do rei.

1. Esse resto de vida será x – 8 (da vida x descontados os 8 anos já decorridos).

Tal solução, porém, só estaria certa se o condenado viesse a morrer no último dia de um de seus períodos de liberdade.

Imaginemos, com efeito, que Sanadique, depois de passar um ano na prisão, fosse solto e viesse a morrer, por exemplo, no quarto mês de liberdade. Dessa parte de sua vida (um ano e quatro meses) teria passado "um ano preso" e "quatro meses solto". Não estaria certo. Teria havido erro no cálculo. A sua pena não teria sido reduzida à metade!

Mas simples seria, portanto, prender Sanadique durante um mês e conceder-lhe o mês seguinte de liberdade. Tal solução poderá, dentro de um período menor, conduzir a erro análogo. E isso acontecerá (com prejuízo para o condenado) se ele, depois de passar um mês na prisão, não tiver, a seguir, um mês completo de liberdade.

Poderá parecer, direis, que a solução do caso consistirá, afinal, em prender Sanadique um dia e soltá-lo no dia seguinte, concedendo-lhe igual período de liberdade, e proceder assim até o termo da vida do condenado.

Tal solução não corresponderá, contudo, à verdade matemática, pois Sanadique — como é fácil entender — poderá ser prejudicado em muitas horas de liberdade. Basta para isso que ele venha a morrer horas depois de um dia de prisão.

Prender o condenado durante uma hora e soltá-lo a seguir, deixando-o em liberdade durante uma hora, e assim sucessivamente até a última hora da vida do condenado, seria solução acertada se Sanadique viesse a morrer no último minuto de uma hora de liberdade. Do contrário a sua pena não teria sido reduzida à metade.

A solução matematicamente certa, portanto, consistirá no seguinte:

Prender Sanadique durante um instante de tempo e soltá-lo no instante seguinte. É preciso, porém, que o tempo de prisão (o instante) seja infinitamente pequeno, isto é, indivisível. O mesmo há de dar-se com o período de liberdade a seguir.

Na realidade, tal solução é impossível. Como prender um homem num instante indivisível e soltá-lo no instante a seguir? Devemos, portanto, afastá-lo de nossas cogitações. Só vejo, ó Vizir, uma forma de resolver o problema: Sanadique será posto em liberdade condicional sob vigilância da lei. É essa a única maneira de prender e soltar um homem ao mesmo tempo![2]

Determinou o grão-vizir que fosse atendida a sugestão do calculista e ao infeliz Sanadique, no mesmo dia, concedida a "liberdade condicional" — fórmula que os jurisconsultos árabes passaram a adotar, frequentemente, em suas sábias sentenças.

No dia seguinte, perguntei que dados ou elementos de cálculos conseguira ele, afinal, colher nas paredes da prisão, durante a célebre visita; que motivos o teriam levado a dar tão original solução ao problema do condenado. Respondeu-me o calculista:

— Só quem já esteve, por alguns momentos sequer, entre os muros tenebrosos de uma enxovia, sabe resolver esses problemas em que os números são parcelas terríveis da desgraça humana.

2. Ver Apêndice: O Problema da Metade do "x" da Vida.

23

Do que sucedeu durante uma honrosa visita que recebemos. Palavras do príncipe Cluzir Schá. Um convite principesco. Beremiz resolve um problema. As pérolas do rajá. Um número cabalístico. Fica resolvida a nossa partida para a Índia.

O bairro humilde em que moramos assinalou hoje o seu primeiro dia glorioso na História.

Beremiz, pela manhã, recebeu inesperadamente a honrosa visita do príncipe Cluzir Schá.

Quando a aparatosa comitiva irrompeu pela rua, terraços e varandas encheram-se de curiosos. Mulheres, velhos e crianças admiravam, mudos e estarrecidos, o maravilhoso espetáculo.

Vinham na frente cerca de trinta cavaleiros montados em soberbos corcéis árabes com arreios tauxiados e gualdrapas de veludo bordado a prata; traziam turbantes brancos com elmos metálicos reluzindo ao sol, mantos e túnicas alvadias, largas cimitarras pendentes de cintas de couro lavrado. Precediam-nos estandartes com o escudo do príncipe — um elefante branco sobre fundo azul. Seguiam-se vários arqueiros e batedores, todos a cavalo.

Encerrando o cortejo surgiu o poderoso Marajá, acompanhado de dois secretários, três médicos e dez pajens. O príncipe trajava uma túnica escarlate, toda adornada com fios de pérolas. No turbante, de uma riqueza inaudita, cintilavam incontáveis safiras e rubis.

Quando o velho Salim viu a sua hospedaria receber aquela majestosa comitiva, foi tomado por um acesso de loucura. Atirou-se ao chão e começou a gritar:

— *Men ein?*[1]

Mandei que um aguadeiro que ali se achava, com ar de basbaque, arrastasse o alucinado amigo para o fundo do pátio, até que a calma voltasse a dominar-lhe o conturbado espírito.

A sala da hospedaria era pequena para conter os ilustres visitantes. Beremiz, maravilhado com a honrosa visita, desceu ao pátio a fim de recebê-los.

1. Para onde? (Para onde me vão levar?)

O príncipe Cluzir, ao chegar, com seu porte altamente senhoril, saudou o calculista com amistoso salã, e disse-lhe:

— O pior sábio é aquele que frequenta os ricos; o maior dos ricos é o que frequenta os sábios![2]

— Bem sei, senhor! — respondeu Beremiz —, que as vossas palavras inspira-as o mais arraigado sentimento de bondade. A pequena e insignificante parcela de ciência que consegui adquirir desaparece diante da infinita generosidade de vosso coração.

— A minha visita, ó Calculista — atalhou o príncipe —, é ditada mais pelo egoísmo do que pelo amor à ciência. Depois que tive o prazer de ouvi-lo em casa do poeta Iezid, pensei em oferecer-lhe algum cargo de prestígio em minha corte. Desejo nomeá-lo meu secretário ou diretor do Observatório de Délhi. Aceita? Partiremos dentro de poucas semanas para Meca e de lá para a Índia.

— Infelizmente, ó Príncipe generoso — respondeu Beremiz —, não posso afastar-me, agora, de Bagdá. Prende-me a esta cidade sério compromisso. Só poderei ausentar-me daqui depois que a filha do ilustre Iezid tiver aprendido as belezas da Geometria!

Sorriu o marajá e retorquiu:

— Se o motivo de sua recusa assenta nesse compromisso, creio que mui breve chegaremos a acordo.

O xeque Iezid disse-me que a jovem Telassim, dados os progressos feitos, dentro de poucos meses estará em condições de ensinar aos ulemás o famoso *problema das pérolas do rajá*.

Tive a impressão de que as palavras do nosso nobre visitante haviam surpreendido Beremiz. O calculista parecia meio confuso.

— E eu muito folgaria — alvitrou ainda o príncipe — em conhecer esse complicado problema que vem desafiando a sagacidade dos algebristas e que remonta, sem dúvida, a um

2. Verso árabe.

dos meus gloriosos antepassados. Refiro-me ao chamado "problema das pérolas do rajá".

Beremiz, para atender à curiosidade do marajá, tomou da palavra e discorreu sobre o problema que interessava ao príncipe. E, no seu falar lento e seguro, disse o seguinte:

— Trata-se menos de um problema do que de mera curiosidade aritmética. É o seguinte o seu enunciado:

"Um rajá deixou às suas filhas certo número de pérolas e determinou que a divisão se fizesse do seguinte modo: a filha mais velha tiraria 1 pérola e um sétimo do que restasse; viria, depois, a segunda e tomaria para si 2 pérolas e um sétimo do restante; a seguir a terceira jovem receberia 3 pérolas e um sétimo do que restasse. E assim sucessivamente.

As filhas mais moças apresentaram queixa a um juiz, alegando que, por esse sistema complicado de partilha, elas seriam fatalmente prejudicadas.

O juiz, que — reza a tradição — era hábil na resolução do problema, respondeu prontamente que as reclamantes estavam enganadas e que a divisão proposta pelo velho rajá era justa e perfeita.

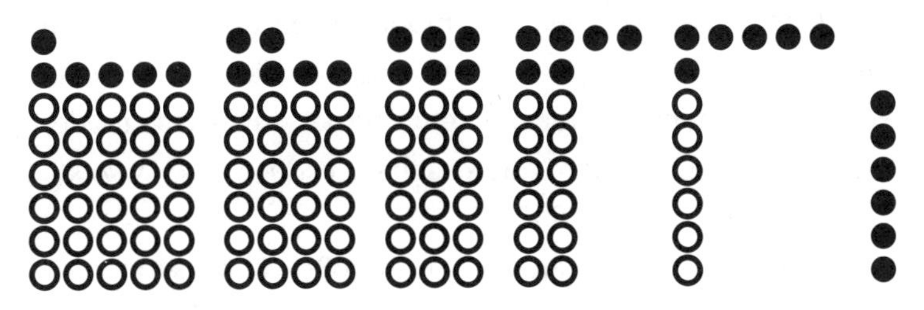

Solução gráfica do famoso "problema das pérolas do rajá". Os discos pretos representam as pérolas que iam sendo sucessivamente retiradas pelas herdeiras. A 1ª retirou uma e mais cinco; a segunda retirou duas e mais quatro; e assim por diante.

E tinha razão. Feita a partilha, cada uma das herdeiras recebeu o mesmo número de pérolas."

— Pergunta-se: Qual o número de pérolas? Quantas as filhas do rajá?

A solução para esse problema não oferece a menor dificuldade. Vejamos.[3]

As pérolas eram em número de 36 e deviam ser repartidas por 6 pessoas.

A primeira tirou uma pérola e mais um sétimo de 35, isto é, 5; logo, tirou 6 pérolas e deixou 30.

A segunda, das 30 que encontrou, tirou 2 mais um sétimo de 28, que é 4; logo, tirou 6 e deixou 24.

A terceira, das 24 que encontrou, tirou 3 mais um sétimo de 21, ou 3. Tirou, portanto 6, deixando 18 de resto.

A quarta, das 18 que encontrou, tirou 4 e mais um sétimo de 14. E um sétimo de 14 é 2. Recebeu, também, 6 pérolas.

A quinta encontrou 12 pérolas; dessas 12 tirou 5 e um sétimo de 7, isto é, 1; logo, tirou 6.

A filha mais moça recebeu, por fim, as 6 pérolas restantes.

E Beremiz concluiu:

— Como vedes, o problema, embora engenhoso, nada tem de difícil. Chega-se à solução sem artifícios ou sutileza de raciocínio.

Nesse momento, a atenção do príncipe Cluzir Schá foi despertada por um número que se achava escrito cinco vezes na parede do quarto; 142.857.

— Que significação tem esse número? — perguntou.

— Trata-se — respondeu o calculista — de um dos números mais curiosos em Matemática. Ele apresenta, em relação aos seus múltiplos, coincidências interessantes.

Multipliquemo-lo por 2. O produto será:

3. Ver Apêndice.

$$142.857 \times 2 = 285.714$$

Vemos que os algarismos constitutivos do produto são os mesmos do número dado, em outra ordem. O 14 que se achava à esquerda transportou-se para a direita.

Efetuemos o produto do número 142.857 por 3:

$$142.857 \times 3 = 428.571$$

Ainda uma vez observamos a mesma singularidade: os algarismos do produto são, precisamente, os mesmos do número, alterada apenas a ordem. O 1 que se achava à esquerda passou para a direita, os outros algarismos lá ficaram, onde estavam.

A mesma coisa ocorre, ainda, quando o número é multiplicado por 4:

$$142.857 \times 4 = 571.428$$

Notemos, agora, o que vai ocorrer no caso da multiplicação por 5:

$$142.857 \times 5 = 714.285$$

O algarismo 7 deslocou-se da direita para a esquerda, os restantes permaneceram em seus lugares.

Observemos a multiplicação por 6:

$$142.857 \times 6 = 857.142$$

Feito o produto nota-se que o grupo 142 permutou, apenas, de posição com 857.

Uma vez chegados ao fator 7, impressiona-nos outra particularidade. O número 142.857 multiplicado por 7 dá como produto o número:

$$999.999$$

formado de seis noves!

Experimentemos multiplicar o número 142.857 por 8. O produto será:

$$142.857 \times 8 = 1.142.856$$

Todos os algarismos do número aparecem, ainda, no produto, com exceção do 7. O 7 do número primitivo foi decomposto em duas partes: 6 e 1. O algarismo 6 ficou à direita e o 1 foi para a esquerda completar o produto.

Vejamos agora o que acontece quando multiplicamos o número 142.857 por 9:

$$142.857 \times 9 = 1.285.713$$

Observemos com atenção esse resultado. O único algarismo do multiplicando que não figura no produto é o 4. Que teria acontecido com ele? Aparece decomposto em duas parcelas 1 e 3, colocados nos extremos do produto.

Do mesmo modo poderíamos verificar as singularidades que apresenta o número 142.857 quando multiplicado por 11, 12, 13, 15, 17, 18 etc.[4]

Eis por que o número 142.857 se inclui entre os números cabalísticos da Matemática. Ensinou-me o dervixe Nô-Elin...

— Nô-Elin! — repetiu, tomado de vivo júbilo, o príncipe Cluzir Schá. — É possível que tenha conhecido esse sábio?

— Conheci-o muito bem, ó Príncipe — respondeu Beremiz. — Com ele aprendi todos os princípios que hoje aplico nas pesquisas matemáticas.

4. Ver Apêndice.

— Pois o grande Nô-Elin — explicou o hindu — era amigo de meu pai. Certa vez, vencido pelo desgosto, por ter perdido um filho em combate, numa guerra injusta e cruel, afastou-se da cidade e nunca mais foi visto. Tenho feito várias pesquisas para encontrá-lo, mas até hoje não consegui obter a menor indicação sobre seu paradeiro. Cheguei, até, a admitir que ele tivesse perecido no deserto, devorado pelas panteras. Saberá, acaso, dizer-me onde poderei encontrar Nô-Elin?

Respondeu Beremiz:

— Quando parti para Bagdá deixei o sábio Nô-Elin em Khói, na Pérsia, recomendado a três amigos.

— Pois logo que eu regresse de Meca iremos à cidade de Khói buscar esse grande ulemá — respondeu o príncipe. — Quero levá-lo para o meu palácio! Poderá você, ó Calculista, auxiliar-me nessa grandiosa empresa?

— Senhor! — apoiou Beremiz. — Se é para prestar auxílio e fazer justiça àquele que foi meu guia e mestre, pronto estou para acompanhar-vos, se for preciso, até à Índia.

E, assim, por causa de 142.857, ficou resolvida a nossa viagem à Índia, a terra dos rajás.

O tal número é realmente cabalístico!

24

Reaparece Tara-Tir. O epitáfio de Diofante. O problema de Hierão. Livra-se Beremiz de um inimigo perigoso. Uma carta do capitão Hassã. Os cubos de 8 a 27. A paixão pelo cálculo. A morte de Arquimedes.

Impressão desagradável causou em meu espírito a ameaçadora presença de Tara-Tir. O rancoroso xeque, que estivera durante longo período ausente de Bagdá, tinha sido visto, ao cair da noite, em companhia de três sicários, rondando a rua em que morávamos.

Alguma cilada ele preparava, na certa, contra o incauto Beremiz.

Preocupado com seus estudos e problemas, não percebia o calculista o perigo que o acompanhava como uma sombra negra.

Falei-lhe da presença sinistra de Tara-Tir, e recordeilhe os avisos cautelosos do xeque Iezid.

— Todos os receios são infundados — respondeu-me Beremiz, sem ponderar detidamente o meu aviso. — Não posso crer nessas ameaças. O que me interessa no momento é a solução completa de um problema que constitui o epitáfio do célebre geômetra grego Diofante:

"Eis o túmulo que encerra Diofante — maravilha de contemplar! Com artifício aritmético a pedra ensina a sua idade.

Deus concedeu-lhe passar a sexta parte de sua vida na juventude; um duodécimo, na adolescência; um sétimo, em seguida, foi escoado num casamento estéril. Decorreram mais cinco anos, depois do que lhe nasceu um filho. Mas este filho — desgraçado e, no entanto, bem-amado! — apenas tinha atingido a metade da idade do pai, morreu. Quatro anos ainda, mitigando a própria dor com o estudo da ciência dos números, passou-os Diofante, antes de chegar ao termo de sua existência."[1]

É possível que Diofante, preocupado em resolver os problemas indeterminados da Aritmética, não tivesse cogitado de

1. Em linguagem algébrica esse problema pode ser traduzido por uma equação do 1º grau com uma incógnita. Ver Apêndice.

obter a solução perfeita para o problema do rei Hierão, que não aparece indicado em sua obra.

— Que problema é este? — perguntei.

Beremiz contou-me o seguinte:

— Hierão, rei de Siracusa, mandou ao seu ourives certa porção de ouro para a confecção de uma coroa que ele desejava oferecer a Júpiter. Quando o rei recebeu a obra acabada, verificou que ela tinha o peso do metal precioso fornecido, mas a cor do ouro inspirou-lhe a desconfiança de que o ourives tivesse ligado prata ao ouro. Para pôr a limpo a dúvida, consultou Arquimedes, o grande geômetra.

Arquimedes, tendo verificado que o ouro perde, na água, 52 milésimos do seu peso, e a prata 99 milésimos, procurou saber o peso da coroa mergulhada na água e achou que a perda de peso era em parte devida a certa porção de prata adicionada ao ouro.

Conta-se que Arquimedes pensou muito tempo, sem poder resolver o problema proposto pelo rei Hierão. Um dia, estando no banho, descobriu o modo de solucionálo, e, entusiasmado, saiu dali a correr para o palácio do monarca, gritando pelas ruas de Siracusa: Eureca! Eureca! — o que quer dizer: Achei! Achei!

No momento em que assim conversávamos, veio visitar-nos o capitão Hassã Muarique, chefe da guarda do sultão. Era um homem corpulento, muito expedito e serviçal. Ouvira narrar o caso dos trinta e cinco camelos e não parava, por isso, de exaltar o talento e a habilidade do Homem que Calculava. Todas as sextas-feiras, depois de passar pela mesquita, ia visitar-nos.

— Nunca imaginei — declarou, depois de exprimir a sua profunda admiração — que a Matemática fosse tão prodigiosa. A solução do problema dos camelos deixou-me encantado.

Ao perceber o entusiasmo do turco, levei-o até a varanda da sala que dava para a rua, enquanto Beremiz procurava nova solução para o problema de Diofante, e lhe falei do perigo que corríamos sob a ameaça do odioso Tara-Tir.

— Lá está ele — apontei — junto à fonte. Os homens que o acompanham são assassinos perigosos. Ao menor descuido seremos apunhalados por esses bandidos.

— Pela honra de Amine![2] Que me diz?! — exclamou Hassã. — Eu não podia imaginar que tal ocorresse. Como pode um bandido perturbar a vida de um sábio geômetra? Pela glória do Profeta! Vou já resolver esse caso.

Voltei ao quarto, deitei-me e pus-me a fumar, tranquilo.

Uma hora depois recebi o seguinte recado de Hassã:

> *"Tudo resolvido. Os três assassinos foram executados sumariamente. Tara-Tir apanhou 8 bastonadas, pagou multa de 27 cequins de ouro e foi intimado a deixar a cidade. Mandei-o, com uma escolta, para Damasco."*

Mostrei a carta do capitão turco a Beremiz. Graças à minha eficiente intervenção poderíamos, agora, viver tranquilos em Bagdá.

— É interessante — sentenciou Beremiz. — É realmente curioso! Essas linhas escritas pelo nosso bom amigo Hassã fazem recordar uma curiosidade numérica relativa aos números 8 e 27.

E como eu demonstrasse surpresa ao ouvir aquela observação, ele concluiu:

— Excluída a unidade, 8 e 27 são os únicos números de

2. Mãe do profeta Maomé.

cubos iguais, também, à soma dos algarismos de seus cubos. Assim:

$$8^3 = 512$$
$$27^3 = 19.683$$

A soma dos algarismos de 512 é 8.

A soma dos algarismos de 19.683 é 27.[3]

— É incrível, meu amigo! — exclamei. — Preocupado com os cubos e quadrados, esqueceste que estavas ameaçado pelo punhal de um perigoso assassino!

— A Matemática, ó Bagdali — respondeu tranquilo —, prende-nos tanto a atenção que, às vezes, alheamo-nos de todos os perigos que nos rodeiam. Lembra-se de como morreu Arquimedes, o grande geômetra?

E, sem aguardar resposta, contou-me o seguinte e curioso episódio da História da Geometria:

— Quando a cidade de Siracusa foi tomada de assalto pelas forças de Marcelo, general romano, achava-se o geômetra Arquimedes absorto no estudo de um problema, para cuja solução havia traçado uma figura geométrica na areia. Ali se achava o geômetra, inteiramente esquecido das lutas, das guerras e da morte. Só a pesquisa da verdade é que lhe interessava. Um legionário romano encontrou-o e intimou-o a comparecer à presença de Marcelo. O sábio pediu-lhe esperasse algum tempo, para que pudesse concluir a demonstração que estava fazendo. O soldado insistiu e puxou-o pelo braço: “Veja onde pisa” — disse-lhe o geômetra. “Não me apague a figura!” Irritado por não ser imediatamente obedecido, o sanguinário romano, com um golpe de espada, prostrou sem vida o maior sábio do tempo. Marcelo, que havia dado ordens no sentido de ser poupada a

3. Os números 17, 18 e 26 apresentam propriedades idênticas em relação aos algarismos de seus cubos, mas não são cubos.

vida de Arquimedes, não ocultou o pesar que sentiu ao saber da morte do genial adversário. Sobre a laje do túmulo que erigiu, mandou gravar uma esfera inscrita num cilindro, figura que lembrava um dos teoremas do célebre geômetra.

E Beremiz concluiu, acercando-se de mim e pousando a mão sobre o meu ombro:

— Não achas, ó Bagdali, que seria justo incluir o sábio siracusano entre os mártires da Geometria?

Que poderia eu responder?

O fim trágico de Arquimedes trouxe-me novamente à lembrança a figura indesejável e rancorosa de Tara-Tir, o pérfido invejoso.

Estaríamos, realmente, livres daquele sanguinário vendedor de sal? Não poderia ele voltar, mais tarde, da velha Damasco?

Junto à janela, os braços cruzados sobre o peito, Beremiz, com certo ar de tristeza, observava, descuidado, os homens que passavam apressados em direção ao mercado.

Achei interessante interferir em seus devaneios e arrancá-lo daquela nostalgia, e perguntei-lhe:

— Que é isso? Está triste? Sente saudades de sua terra ou está planejando novos cálculos?

E insisti, em tom de gracejo:

— Cálculos ou saudade?

— Ora, Bagdali — respondeu-me Beremiz, com seu imperturbável bom humor. — A saudade e o cálculo andam sempre entrelaçados. Já disse um dos nossos mais inspirados poetas:

A Saudade é calculada
Por algarismos, também:
Distância multiplicada
Pelo fator querer-bem.[4]

4. Trova de Manuel Bastos Tigre (1882-1957), poeta pernambucano de alta inspiração.

Não acredito, porém, que a saudade, depois de reduzida a uma fórmula, seja calculável com algarismos. Por Alá! Quando eu era menino ouvi, muitas vezes, minha mãe, encerrada no harém de nossa casa, cantarolar:

Saudade, velha canção
Saudade, sombra de alguém,
Que os tempos só levarão
Se me levarem também![5]

5. Trova de Fernandes Soares, poeta paulista. Uma das figuras de maior destaque na poesia moderna do Brasil.

25

Vamos pela segunda vez ao palácio do rei. A estranha surpresa. Perigoso torneio de um contra sete. A restituição de misterioso anel. Beremiz recebe um tapete azul-claro. Versos que abalam um coração apaixonado.

Na primeira noite depois do Ramadã,[1] logo que chegamos ao palácio do califa fomos informados por um velho, nosso companheiro de trabalho, que o soberano preparava estranha surpresa para o nosso amigo Beremiz.

Aguardava-se grave acontecimento. O calculista ia ser arguido, em audiência pública, por sete matemáticos de fama, três dos quais haviam chegado, dias antes, do Cairo.

Que fazer? Allahur Akbar![2] Diante daquela ameaça procurei encorajar Beremiz, fazendo-lhe sentir que devia ter confiança absoluta em sua capacidade, tantas vezes comprovada.

O Calculista recordou-me um provérbio que ouvira de seu mestre Nô-Elin: "Quem não desconfia de si mesmo não merece a confiança dos outros!"

Sob pesada sombra de apreensões e tristeza entramos em palácio.

O grande e rutilante divã, profusamente iluminado, estava repleto de cortesãos e xeiques de renome.

À direita do califa achava-se o jovem príncipe Cluzir Schá, convidado de honra, que se fazia acompanhar de oito doutores hindus, ostentando roupagens vistosas de ouro e veludo, e exibindo garbosos turbantes de Caxemira. À esquerda do trono perfilavam-se os vizires, os poetas, os cádis e os elementos de maior prestígio da alta sociedade de Bagdá. Sobre um estrado, onde se viam vários coxins de seda, achavam-se os sete sábios que iam interrogar o calculista. A um gesto do califa o xeque Nurendim Barur tomou Beremiz pelo braço e condiziu-o, com toda solenidade, até a uma espécie de tribuna erguida ao centro do rico salão.

Um escravo negro agigantado fez soar três vezes pesado

1. Mês da quaresma muçulmana.

2. Deus é grande!

gongo de prata. Todos os turbantes se curvaram. Ia ter início a singular cerimônia. A minha imaginação, confesso, voejava por mundos alucinados.

Um imã tomou do Livro Santo e leu, numa cadência invariável, pronunciando lentamente as palavras, a prece do Alcorão:[3]

— Em nome de Alá, Clemente e Misericordioso!
Louvado seja o Onipotente, Criador de todos os mundos!
A misericórdia é em Deus o atributo supremo!
Nós Te adoramos, Senhor, e imploramos a Tua divina assistência!
Conduze-nos pelo caminho certo! Pelo caminho daqueles que são esclarecidos e abençoados por Ti!

Logo que a última palavra do imã se perdeu com o seu cortejo de ecos pelas galerias do palácio, o rei avançou dois ou três passos, parou e disse:

— Uallah! O nosso amigo e aliado, príncipe Cluzir-el-din-Moubarec Schá, senhor de Lahore e Délhi, pediu-me que proporcionasse aos doutores de sua comitiva o ensejo de admirarem a cultura e a habilidade do geômetra persa, secretário do vizir Ibrahim Maluf. Seria desairoso deixar de atender a essa solicitação de nosso ilustre hóspede. E, assim, sete dos mais famosos ulemás do Islã vão propor ao calculista Beremiz questões que se relacionam com a ciência dos números. Se ele souber responder a todas as perguntas, receberá (assim o prometo), recompensa tal que o fará um dos homens mais invejados de Bagdá.

Vimos, nesse momento, o poeta Iezid aproximar-se do califa.

— Comendador dos Crentes! — disse o xeque. — Tenho em meu poder um objeto que pertence ao calculista. Trata-se de

3. Entre os muçulmanos, qualquer cerimônia pública deve ser precedida de uma prece.

um anel encontrado em nossa casa por uma das escravas do harém. Quero restituí-lo ao calculista antes de ser iniciada a importantíssima prova a que vai submeter-se. É possível que se trate de um talismã e eu não desejo privar o calculista nem mesmo do auxílio dos recursos sobrenaturais.

E, depois de breve pausa, o nobre Iezid disse ainda:

— Minha encantadora filha Telassim, verdadeiro tesouro entre os tesouros da minha vida, pediu-me fosse permitido oferecer ao geômetra persa, seu mestre na Ciência dos Números, pequeno tapete por ela mesma bordado. Esse tapete, se o Emir dos Crentes consentir, seria colocado sob a almofada destinada ao calculista que vai ser arguido, hoje, pelos sete maiores sábios do Islã.

Permitiu o monarca que o anel e o tapete fossem, no mesmo instante, entregues ao calculista.

O próprio xeque Iezid, sempre transbordante de simpatia, fez a entrega da caixa. Logo a seguir, a um sinal do xeque, um mabid[4] adolescente apareceu trazendo nas mãos o pequeno tapete azul-claro que foi colocado sob a almofada verde de Beremiz.

— Tudo isso é feitiço, é baraka — insinuou, em voz baixa, um velhote risonho, magro, de túnica azul e cara chupada, que se achava bem atrás de mim. — Esse jovem calculista persa é bom conhecedor de baraka. Faz sortilégios! Esse tapetezinho azul-claro parece-me um tanto misterioso!

Mostrou-se Beremiz profundamente emocionado ao receber a joia e o tapete. Apesar da distância em que me achava, pude notar que alguma coisa de muito grave ocorria naquele momento. Ao abrir a pequenina caixa os seus olhos brilhantes se umedeceram. Soube depois que, juntamente com o anel, a piedosa Telassim havia colocado um papel no qual Beremiz leu emocionado:

4. Servidor. Semiescravo.

"Ânimo. Confia em Deus. Rezo por ti."

E o tapete azul-claro?

Haveria, no caso, alguma baraka, como insinuava o velhinho alegre da túnica azul?

Nada de sortilégios.

Aquele pequeno tapete azul-claro, que aos olhos dos xeques e ulemás não passava de um simples presente, trazia, em caracteres cúficos (que só Beremiz saberia decifrar e ler), alguns versos que abalaram o coração do nosso amigo calculista. Esses versos, que eu, mais tarde, pude traduzir e decorar, haviam sido finamente bordados por Telassim, como se fossem arabescos, nas barras do pequenino tapete:

> *Eu te amo, querido. Perdoa-me o meu amor!*
> *Eu fui apanhada como um pássaro que se extraviou no caminho.*
> *Quando o meu coração foi tocado, ele perdeu o véu e ficou ao desabrigo. Cobre-o com piedade, querido, e perdoa o meu amor!*
> *Se não me podes amar, querido, perdoa a minha dor.*
> *E voltarei para o meu canto e ficarei sentada no escuro.*
> *E cobrirei com as mãos a nudez do meu recato.*[5]

Estaria o xeque Iezid a par daquela dupla mensagem de carinho e amor?

Não havia motivo para deter-me em tal ideia. Só mais tarde, como já disse, revelou-me Beremiz o tal segredo.

Só Alá sabe a verdade!

Fez-se, no suntuoso recinto, profundo silêncio.

Ia ter início, no grande e rico divã do califa, o torneio de

5. Versos de Tagore.

espírito e de cultura mais notável ocorrido até agora sob os céus do Islã.

Iallah!

26

No qual vamos encontrar um teólogo famoso. O problema da vida futura. O muçulmano deve conhecer o Livro Sagrado. Quantas palavras há no Alcorão? Quantas letras? O nome de Jesus é citado dezenove vezes. Um engano de Beremiz.

O sábio indicado para iniciar a arguição ergueu-se com austera solenidade. Era uma figura respeitável de octogenário, que me inspirava um respeito medroso. As longas barbas brancas, proféticas, caíam-lhe, fartas, sobre o peito largo.

— Quem é esse pobre ancião? — perguntei, em surdina, a um haquim oio-ien,[1] de rosto magro e bronzeado, que se achava ao meu lado.

— É o célebre ulemá Mohadebe-Abner-Rama — respondeu-me. — Dizem que conhece mais de quinze mil sentenças sobre o Alcorão. Ensina Teologia e Retórica.

As palavras do sábio Mohadebe, o teólogo, eram pronunciadas em tom estranho e surpreendente, sílaba por sílaba, como se o orador pusesse empenho em medir o som de sua própria voz:

— Vou interrogar-vos, ó Calculista, sobre assunto de indiscutível importância para a cultura de um muçulmano. Antes de estudar a ciência de um Euclides ou de um Pitágoras, deve o bom islamita conhecer profundamente o problema religioso, pois a vida não é concebível quando se projeta divorciada da Verdade e da Fé. Aquele que não se preocupa com o problema de sua existência futura, com a salvação de sua alma e desconhece os preceitos de Deus, os mandamentos, não merece o qualificativo de sábio. Quero, portanto, que nos apresenteis, neste momento, sem a menor hesitação, quinze indicações numéricas certas e notáveis sobre o Alcorão, o livro de Alá!

Entre essas quinze indicações deverão figurar:

1º) O número de suratas do Alcorão;
2º) O número exato de versículos;
3º) O número de palavras;
4º) O número de letras do Livro Incriado;

1. Médico oculista.

5º) O número exato dos profetas citados nas páginas do Livro Eterno.

E o sábio teólogo insistiu, fazendo ecoar bem forte a sua voz:

— Quero ouvir, enfim, neste momento, além das cinco indicações, por mim apontadas, mais outras dez relações numéricas certas e notáveis sobre o Livro Incriado! Uassalã!

Seguiu-se profundo silêncio. Aguardava-se, com ansiedade, a palavra de Beremiz. Com uma tranquilidade que causava assombro, o jovem calculista respondeu:

— O Alcorão, ó sábio e venerável Mufti,[2] compõe-se de 114 suratas, das quais 70 foram ditadas em Meca e 44 em Medina. Divide-se em 611 ashrs e contém 6.236 versículos, dos quais 7 do primeiro capítulo *Fatihat*[3] e 8 do último, *Os homens*. A surata maior é a segunda, que encerra 280 versículos. O Alcorão contém 46.439 palavras e 323.670 letras, cada uma das quais encerra dez virtudes especiais. O nosso Livro Sagrado cita o nome de 25 profetas. Issa, filho de Maria,[4] é citado 19 vezes. Há cinco animais, cujos nomes foram tomados para epígrafes de cinco capítulos: a vaca, a abelha, a formiga, a aranha e o elefante. A surata 102 tem por título: "A contestação dos números." É notável esse capítulo do Livro Incriado pela advertência que dirige, em seus cinco versículos, àqueles que se preocupam com disputas estéreis sobre números que não têm importância alguma para o progresso espiritual dos homens.

Neste ponto fez Beremiz ligeira pausa e logo acrescentou:

— Eis aí, para atender ao vosso pedido, as indicações numéricas tiradas do Livro de Alá! Houve, apenas, na resposta que

2. Jurisconsulto muçulmano.

3. Primeiro capítulo do Alcorão.

4. Jesus — Das cinco preces que os árabes proferem, todos os dias, uma delas é dedicada a Jesus.

acabo de formular, um engano que me apresso a confessar. Em vez de quinze relações, citei dezesseis!

— Por Alá! — murmurou, atrás de mim, o velhote da túnica azul. — Como pode um homem saber, de memória, tantos números e tantas contas! É fantástico! Sabe até quantas letras tem o Alcorão!

— Estuda muito — replicou, quase em segredo, o vizinho, que era gordo e tinha uma cicatriz no queixo. — Estuda muito e decora tudo. Já ouvi uns zunzuns a tal respeito.

— Decorar não adianta — cochichou, ainda, o velhinho da cara chupada. — Não adianta. Eu, por exemplo, não consigo decorar nem a idade da filha de meu tio!

Irritavam-me aquelas falinhas segredadas.

Mas o fato é que Mohadebe confirmou todas as indicações dadas pelo calculista; até o número de letras do Livro de Alá fora enunciado sem erro de uma unidade.

Disseram-me que esse douto teólogo Mohadebe era um homem pobre. E devia ser mesmo verdade. A muitos sábios priva Alá das riquezas, pois a sabedoria e a riqueza raramente aparecem juntas.

Beremiz havia vencido brilhantemente a primeira prova do terrível debate. Faltavam seis.

— Queira Alá! — pensei. — Queira Alá que tudo possa correr bem!

27

No qual um sábio historiador interroga Beremiz. O geômetra que não podia olhar para o céu. A Matemática na Grécia. Elogio de Eratóstenes.

Solucionado o primeiro caso com todas as suas minúcias, o segundo sábio foi convidado a interrogar Beremiz. Esse ulemá era um historiador famoso: lecionara, durante vinte anos, em Córdova, e, mais tarde, por questões políticas, transferira-se para o Cairo, onde passou a residir sob a proteção do califa. Era um homem baixo, cujo rosto bronzeado parecia emoldurado por uma barba elíptica. Tinha os olhos nevoados, mortiços.

Eis como o sábio historiador se dirigiu ao calculista:

— Em nome de Alá, Clemente e Misericordioso! Enganam-se aqueles que apreciam o valor de um matemático pela maior ou menor habilidade com que efetua as operações e aplica as regras banais do cálculo! A meu ver, o verdadeiro geômetra é o que conhece, com absoluta segurança, o desenvolvimento e o progresso da Matemática através dos séculos. Estudar a História da Matemática é prestar homenagem aos engenhos maravilhosos que enalteceram e dignificaram as antigas civilizações, e que, pelo labor e pelo seu gênio, puderam desvendar alguns dos mistérios profundos da imensa natureza, conseguindo, pela ciência, elevar e melhorar a miserável condição humana. Cumpre-nos ainda, pelas páginas da História, honrar os gloriosos antepassados que trabalharam para a formação da matemática e apontar as obras que deixaram. Quero, pois, ó Calculista, interrogar-vos sobre um fato interessante da História da Matemática: "Qual foi o geômetra célebre que se suicidou de desgosto por não poder olhar para o céu?"

Beremiz susteve-se instantes e exclamou de golpe:

— Foi Eratóstenes, matemático oriundo da Cirenaica e educado, a princípio, em Alexandria e, mais tarde, na Escola de Atenas. Onde aprendeu as doutrinas de Platão!

E, completando a resposta, prosseguiu:

— Eratóstenes foi escolhido para dirigir a grande biblioteca da Universidade de Alexandria, cargo que exerceu até o termo de seus dias. Além de possuir invejáveis conhecimentos científicos e literários que o distinguiram entre os maiores sábios de seu tempo, era Eratóstenes poeta, orador, filósofo e — ainda mais — atleta completo. Basta dizer que conquistou o título excepcional de vencedor do pentatlo, as cinco provas máximas dos jogos olímpicos. A Grécia achava-se, nesse tempo, no período áureo de seu desenvolvimento científico e literário. Era a pátria dos aedos, poetas que declamavam, com acompanhamento musical, nas refeições e nas reuniões dos reis e dos chefes.

Não seria prolixidade dizer que entre os gregos de maior cultura e valor, era o sábio Eratóstenes considerado como o homem extraordinário que atirava o dardo, escrevia poemas, vencia os grandes corredores e resolvia problema de Astronomia. Eratóstenes legou à posteridade várias obras. Ao rei Ptolomeu III, do Egito, apresentou uma tábua de números primos feitos sobre uma prancha metálica, na qual os números múltiplos eram marcados por um pequeno furo. Deu-se, por isso, o nome de "Crivo de Eratóstenes" ao processo de que se utilizara o astrônomo grego para formar sua tábua. Em consequência de uma oftalmia, adquirida nas margens do Nilo, durante uma viagem, Eratóstenes ficou cego. Ele, que cultivava a Astronomia, achava-se impedido de olhar para o céu e de admirar a beleza incomparável do firmamento nas noites estreladas. A luz azulada de Al-Schira[1] jamais poderia vencer aquela nuvem negra que lhe encobria os olhos. Esmagado por tão grande desgraça e não podendo resistir aos desgostos que

1. Sirius. Alfa do Cão Maior. A estrela mais brilhante do céu. A Estrela Polar é denominada *Dsjudde*. (Nota de Malba Tahan.)

lhe causava a cegueira, o sábio e atleta suicidou-se, deixando-se morrer de fome, fechado em sua biblioteca!

O sábio historiador dos olhos mortiços voltou-se para o califa e declarou, depois de rápido silêncio.

— Considero-me plenamente satisfeito com a brilhante exposição histórica feita pelo jovem calculista persa. O único geômetra célebre levado ao suicídio foi, realmente, o grego Eratóstenes, poeta, astrônomo e atleta, amigo fraterno do famosíssimo Arquimedes de Siracusa. Iallah![2]

— Pela beleza de Selsebit![3] — exclamou o califa com entusiasmo. — Quanta coisa acabo de aprender! Esse grego notável que estudava os astros, escrevia poemas e cultivava o atletismo, merece a nossa sincera admiração. De hoje em diante, sempre que olhar para o céu, em noite estrelada, e avistar a incomparável Al-Schira, pensarei no fim trágico desse sábio geômetra que foi escrever o poema de sua morte no meio de um tesouro de livros que ele já não podia ler!

E pousando, com extrema cortesia, a sua mão larga sobre o ombro do príncipe, ajuntou com cativante naturalidade:

— Vamos ver, agora, se o terceiro arguidor conseguirá vencer o nosso calculista!

---

2. Deus seja louvado.

3. Fonte do Paraíso. Citada no Alcorão.

28

Prosseguem o memorável torneio no divã do rei. O terceiro sábio interroga Beremiz. A falsa indução. Como se acha a raiz quadrada de 2.025. Beremiz demonstra que um princípio falso pode ser sugerido por exemplos verdadeiros.

O terceiro sábio que deveria interrogar Beremiz era o célebre astrônomo Abul-Hassã Ali,[1] de Alcalá, vindo de Bagdá a convite do califa Al-Motacém. Era alto, ossudo, e tinha o rosto semeado de rugas. Os seus cabelos eram ruivos e crespos. Exibia no pulso direito uma larga pulseira de ouro. Dizem que nessa pulseira se achavam assinaladas as doze constelações do Zodíaco.

O astrônomo Abul-Hassã, depois de saudar o rei e os nobres, dirigiu-se a Beremiz. A sua voz cava e larga rolava pesadamente.

— As duas respostas que acabaste de formular provam, ó Calculista Beremiz Samir, que tens sólida cultura. Falas da ciência na Grécia com a mesma facilidade com que contas as letras do Livro Sagrado! No desenvolvimento da ciência matemática, a parte mais interessante é a que indica a forma de raciocínio que nos conduz à verdade! Uma coleção de fatos tão longe está de ser uma ciência, como um monte de pedras de ser uma casa. Posso afirmar, igualmente, que as combinações sábias de fatos inexatos ou de fatos que não foram verificados, ao menos em suas consequências, se acham tão longe de formar uma Ciência quanto a miragem de substituir, no deserto, a presença real dos oásis. Deve a Ciência observar fatos para deles deduzir leis; com auxílio dessas leis prever outros fatos e melhorar as condições materiais da vida. Sim, tudo isto está certo. Como, porém, deduzir a Verdade? Apresenta-se, pois, a seguinte dúvida:

— É possível, em Matemática, tirar-se uma regra falsa de uma propriedade verdadeira? Quero ouvir a tua resposta, ó Calculista, ilustrada com um exemplo simples e perfeito.

Beremiz, consultando por largo espaço a reflexiva consciência, saiu do recolhimento de suas cogitações, respondendo:

1. Nasceu em 1200 e morreu, em consequência da queda de um camelo, em 1280; deixou-nos a obra intitulada: *Tratado dos instrumentos* astronômicos.

— Admitamos que um algebrista curioso desejasse determinar a raiz quadrada de um número de quatro algarismos. Sabemos que a raiz quadrada de um número é outro número que, multiplicado por si mesmo, dá um produto igual ao número dado.

Vamos supor, ainda, que o algebrista, tomando, livremente, três números a seu gosto, destacasse os seguintes números: 2.025, 3.025 e 9.801:

Iniciemos a resolução do problema pelo número 2.025. Feitos os cálculos para esse número, o pesquisador acharia a raiz quadrada igual a 45. Com efeito: 45 vezes 45 é igual a 2.025. Ora, como se pode verificar, 45 é obtido pela soma 20 + 25, que são partes do número 2.025 quando decomposto ao meio por um ponto 20.25.

A mesma coisa o algebrista verificaria em relação ao número 3.025, cuja raiz quadrada é 55.[2] Convém notar que 55 é a soma de 30 + 25, parte do número 30.25. Idêntica propriedade é ainda verificada relativamente ao terceiro número, 9.801, cuja raiz quadrada é 99, isto é, 98 + 01. Diante desses três casos, o desprevenido algebrista seria levado a enunciar a seguinte regra:

"Para calcularse a raiz quadrada de um número de quatro algarismos, divide-se esse número, por um ponto, em duas classes, com dois algarismos cada uma, somando-se as classes assim formadas. A soma obtida será a raiz quadrada do número dado."

Essa regra, visivelmente errada, foi tirada de três exemplos verdadeiros. É possível, em Matemática, chegar-se à verdade pela simples observação, fazendo-se mister, entretanto, cuidados essenciais para evitar a *falsa indução.*

O astrônomo Abul-Hassã, sinceramente encantado com a resposta de Beremiz, declarou que jamais ouvira sobre aquela

2. O produto 55 x 55 é igual a 3.025.

importante questão da "falsa indução matemática" explicação tão simples e interessante.

A seguir, a um sinal do califa ergueu-se o quarto ulemá e preparou-se para formular a sua pergunta.

O seu nome era Jalal Ibn-Wafrid. Era poeta, filósofo e astrólogo. Em Toledo, sua terra natal, tornara-se muito popular como grande contador de histórias.

Jamais esquecerei a sua veneranda e esguia figura; nunca mais se me apagará da lembrança o seu olhar sereno e bondoso. Caminhou até a ponta do estrado e, dirigindo-se ao califa, assim falou:

— Para que a minha pergunta possa ser bem compreendida, preciso esclarecê-la contando uma antiga lenda persa.

— Apressa-te a contá-la, ó eloquente ulemá! — acudiu, logo, o califa. — Estamos ansiosos por ouvir as tuas sábias palavras que são, para os nossos ouvidos, como brincos de ouro.

O sábio toledano, com voz firme e cadenciada como o andar de uma caravana, narrou o seguinte:

29

Vamos ouvir antiga lenda persa. O material e o espiritual. Os problemas humanos e transcendentes. A multiplicação famosa. O sultão reprime, com energia, a intolerância dos xeques islamitas.

Um poderoso rei, que dominava a Pérsia e as vastas planícies do Irã, ouviu certo dervixe dizer que o verdadeiro sábio devia conhecer, com absoluta perfeição, a parte espiritual e a parte material da vida.

Chamava-se Astor esse monarca, que era apelidado "O Sereno".

Que fez Astor, o rei? Vale a pena recordar a forma pela qual procedeu o poderoso monarca.

Mandou chamar os três maiores sábios da Pérsia, entregou a cada um deles dois dinares de prata e disse-lhes:

— Há neste palácio três salas iguais completamente vazias. Ficará, cada um de vós, encarregado de encher uma das salas, não podendo, entretanto, despender nessa tarefa quantia superior à que acabo de confiar a cada um.

O problema era realmente difícil. Cada sábio devia encher uma sala vazia, gastando apenas a insignificante quantia de dois dinares.

Partiram os sábios a fim de cumprir a missão de que haviam sido encarregados pelo caprichoso rei Astor.

Horas depois regressaram à sala do trono. O monarca, interessado pela solução do enigma, interrogou-os.

O primeiro, ao ser interrogado, assim falou:

— Senhor! Gastei dois dinares, mas a sala que me coube ficou completamente cheia. A minha solução foi muito prática. Comprei vários sacos de feno e com eles enchi o aposento do chão até o teto.

— Muito bem! — exclamou o rei Astor, o Sereno. — A vossa solução simples e rápida foi realmente muito bem imaginada. Conheceis, a meu ver, a "parte material da vida" e sob esse aspecto haveis de encarar todos os problemas que o homem deve enfrentar na face da terra.

A seguir, o segundo sábio, depois de saudar o rei, disse com certa ênfase:

— No desempenho da tarefa que me foi cometida, gastei apenas meio dinar. Quero explicar como procedi. Comprei uma vela e acendia no meio da sala vazia. Agora, ó Rei, podeis observá-la. Está cheia, inteiramente cheia de luz.

— Bravos! — concordou o monarca. — Descobriste uma solução brilhante para o caso! A luz simboliza a parte espiritual da vida. O vosso espírito acha-se, pelo que me é dado concluir, propenso a encarar todos os problemas da existência do ponto de vista espiritual.

Chegou, afinal, ao terceiro sábio, a vez de falar. Eis como foi resolvida por ele a singular questão:

— Pensei, a princípio, ó Rei dos Quatro Cantos do Mundo, em deixar a sala entregue aos meus cuidados exatamente como se achava. Era fácil ver que a aludida sala, embora fechada, não se encontrava vazia. Apresentava-se (é evidente) cheia de ar e de trevas. Não quis, porém, ficar na cômoda indolência enquanto os meus dois colegas agiam com tanta inteligência e habilidade. Resolvi agir também. Tomei, pois, de um punhado de feno da primeira sala, queimei esse feno na vela que se achava na outra, e com a fumaça que se desprendia enchi inteiramente a terceira sala. Será inútil acrescentar que não gastei a menor parcela da quantia que me foi entregue. Como podeis verificar, a sala que me coube está cheia de fumaça.

— Admirável! — exclamou o rei Astor. — Sois o maior sábio da Pérsia e talvez do mundo. Sabeis unir, com judiciosa habilidade, o material ao espiritual para atingir a perfeição.

Neste ponto o sábio toledano dava por finda a sua narrativa. Voltando-se, então, para Beremiz, assim falou, sorrindo com certo ar de brandura:

— É meu desejo, ó Calculista, verificar se, à semelhança do terceiro sábio da lenda, sois capaz de unir o material ao espiritual, e chegar a resolver, não só os problemas humanos, como também as questões transcendentes. A minha pergunta é, portanto, a seguinte: "Qual é a multiplicação famosa, apontada na História, multiplicação que todos os homens cultos conhecem, e na qual só figura um fator?"

Essa inopinada pergunta surpreendeu, com sobeja razão, os ilustres muçulmanos. Alguns não disfarçaram pequenos gestos de desagrado e impaciência. Um cádi obeso, ricamente trajado, que se achava a meu lado, resmungou irritado, desabridamente:

— Isso não tem sentido! É disparate!

Beremiz ficou largo tempo cogitando. Depois, logo que sentiu coordenadas as ideias, respondeu:

— A única multiplicação famosa, com um único fator, citada pelos historiadores, e que todos os homens cultos conhecem, é a multiplicação dos pães, feita por Jesus, filho de Maria! Nessa multiplicação só figura um fator: o poder milagroso da vontade de Deus.

— Muito bem respondido — declarou o toledano. — Certíssimo! É a resposta mais perfeita e completa que já ouvi até hoje! Esse calculista resolveu esmagadoramente a questão por mim formulada. Iallah!

Alguns muçulmanos, inspirados pela intolerância, entreolharam-se espantados. Houve sussurros. O califa clamou com energia:

— Silêncio! Veneremos Jesus, filho de Maria, cujo nome é citado dezenove vezes no Livro de Alá!

E, a seguir, dirigindo-se, com muita simpatia, ao quinto ulemá, ajuntou placidamente:

— Aguardamos a vossa pergunta, ó xeque Nascif Rahal! Sereis o quinto a arguir o calculista persa neste maravilhoso torneio de ciência e fantasia!

Ouvida essa ordem do rei, o quinto sábio ergueu-se como se fosse impulsionado por uma mola. Era um homem baixo, gordo, de cabeleira branca. Em vez de turbante usava, no alto da cabeça, pequeno gorro verde. Era muito conhecido em Bagdá, pois ensinava na mesquita e esclarecia, para os estudiosos, os pontos obscuros dos *hadiths*[1] do Profeta. Duas vezes eu já o avistara ao sair do *hamã*.[2] A sua maneira de falar era nervosa, arrebatada e um tanto agressiva.

— O valor de um sábio — começou, com tétrica entonação — só pode ser medido pelo poder de sua imaginação. Números tomados ao acaso, fatos históricos recordados com precisão e oportunidade, podem ter interesse momentâneo, mas ao cabo de algum tempo caem no esquecimento. Qual de vós ainda se lembra do número de letras do Alcorão? Há números, nomes, palavras e obras que são, por sua própria natureza e finalidade, condenados a irremediável olvido. É inteiramente vão o saber que não serve ao sábio.[3] Vou, portanto, certificar-me do valor e da capacidade do calculista persa, apresentando-lhe uma questão que não se relaciona com problema que possa exigir memória e habilidade de cálculo. Quero que o matemático Beremiz Samir nos conte uma lenda, ou uma simples fábula, na qual apareça uma divisão de 3 por 3 indicada, mas não efetuada, e outra de 3 por 2, indicada e efetuada sem deixar resto.

1. Ver Glossário.

2. Casa de banhos.

3. Essa sentença é de Cícero. Muitos a repudiam. Acham que o sábio deve ser sempre um idealista e adquirir o saber pelo saber.

— Boa ideia — sussurrou o velhinho da túnica azul. — Boa ideia a desse ulemá da cabeleira branca! Vamos deixar esses cálculos, que ninguém entende, e ouvir uma lenda! Que maravilha! Vamos, afinal, ouvir uma lenda!

— Mas essa lenda terá contas, na certa — resmungou, baixinho, o haquim, levando a mão à boca. — No fim, o amigo vai ver: tudo acaba em cálculos, números e problemas! Pouca sorte, a nossa!

— Queira Alá que isso não aconteça — proferiu o velhinho. — Queira Alá, o Al-uahhad![4]

Fiquei bastante apreensivo com a lembrança absurda do quinto ulemá da cabeleira branca. Como iria Beremiz inventar, naquele angustioso momento, uma lenda na qual aparecesse uma divisão indicada, mas não efetuada, e, mais ainda, uma divisão de 3 por 2 que não deixasse resto?

Ora, quem divide três por dois acha o resto um!

Pus de lado as minhas inquietações e confiei na imaginação do amigo. Na imaginação do amigo e na bondade de Alá!

Feito, por alguns instantes, fervoroso apelo à memória, o calculista iniciou a seguinte narrativa:

4. O Liberal. Um dos noventa e nove epítetos que os árabes atribuem a Deus.

30

Beremiz, o calculista, narra uma lenda. O tigre sugere a divisão de 3 por 3. O chacal indica a divisão de 3 por 2. Como se calcula o quociente na Matemática do mais forte. O xeque do turbante verde elogia Beremiz. Como se acha o castigo de Deus em relação ao pecador.

Em nome de Alá, Clemente e Misericordioso!

O leão, o tigre e o chacal abandonaram, certa vez, a furna sombria em que viviam e saíram, em peregrinação amistosa, a jornadear pelo mundo, à procura de alguma região rica em rebanhos de tenras ovelhinhas.

Em meio de grande floresta o temível leão, que chefiava, naturalmente, o grupo, sentou-se, fatigado, sobre as patas traseiras, e erguendo a cabeça enorme soltou um rugido tão forte que fez tremer as árvores mais próximas.

O tigre e o chacal entreolharam-se assustados. Aquele rugido ameaçador com que o perigoso monarca, de juba escura e garras invencíveis, perturbava o silêncio da mata, traduzido para uma linguagem ao alcance dos outros animais, queria dizer, laconicamente, o seguinte: Estou com fome.

— A vossa impaciência é perfeitamente justificável! — observou o chacal dirigindo-se humildemente ao leão. — Asseguro-vos, entretanto, que conheço, nesta floresta, um atalho misterioso, do qual as brutas feras jamais tiveram notícia. Por ele poderíamos chegar, com facilidade, a um pequeno povoado, quase em ruínas, onde a caça é abundante, fácil, ao alcance das garras, e isenta de qualquer perigo!

— Vamos, chacal! — acudiu, de pronto, o leão. — Quero conhecer e admirar esse recanto adorável!

Ao cair da tarde, guiados pelo chacal, chegaram os viajantes ao alto de um monte, não muito elevado, donde se descortinava uma pequena e verdejante planície.

No meio dessa planície achavam-se, descuidados, alheios ao perigo que os ameaçava, três pacíficos animais: uma ovelha, um porco e um coelho.

Ao avistar a presa fácil e certa, o leão sacudiu a juba abundante num movimento de incontida satisfação. E com os olhos brilhantes de gula, voltou-se para o tigre e rosnou, em tom possivelmente amistoso:

— Ó tigre admirável! Vejo ali três belos e saborosos petiscos: uma ovelha, um porco e um coelho! Tu, que és vivo e esperto, deves saber, com talento, dividir três por três. Faze, pois, com justiça e equidade, essa operação fraternal: dividir três caças por três caçadores!

Lisonjeado com semelhante convite, o vaidoso tigre, depois de exprimir com uivos de falsa modéstia a sua incompetência e o seu desvalor, assim respondeu:

— A divisão que generosamente acabais de propor, ó Rei, é muito simples e pode fazer-se com relativa facilidade. A ovelha, que é o maior dos três petiscos, o mais saboroso e, sem dúvida, capaz de saciar a fome de um bando de leões do deserto, cabe-vos, de pleno direito. A ovelha será vossa, exclusivamente vossa! Aquele porquinho magro, sujo e despiciendo, que não vale uma perna da bela ovelha, ficará para mim, que sou modesto e com bem pouco me contento. E, finalmente, aquele minúsculo e desprezível coelho, de reduzidas carnes, indigno do paladar apurado de um rei, tocará ao nosso companheiro chacal, como recompensa pela valiosa indicação que há pouco nos proporcionou.

— Estúpido! Egoísta! — rugiu o pavoroso leão, tomado de fúria indescritível. — Quem te ensinou a fazer divisões dessa maneira, imbecil? Onde já viste uma partilha de três por três ser resolvida desse modo?

E, erguendo a pesadíssima pata, descarregou na cabeça do desprevenido tigre tão violenta pancada que o atirou morto a alguns passos de distância.

Em seguida, voltando-se para o chacal, que assistira estarrecido àquele trágico desfecho da divisão de três por três, assim falou:

— Meu caro chacal! Sempre fiz da tua inteligência o mais elevado conceito. Sei que és o mais engenhoso e esclarecido dos animais da floresta, e outro não conheço que possa levar-te a melhor na habilidade com que sabes resolver os mais inextricáveis problemas. Encarregote, pois, de fazer essa divisão simples e banal, que o estúpido do tigre (como acabaste de ver) não soube efetuar satisfatoriamente. Estás vendo, amigo chacal, aqueles três apetitosos animais, a ovelha, o porco e o coelho? Somos dois e os animais apetitosos são três. Pois bem: vais dividir os três por dois! Vamos: faze logo os cálculos, pois preciso saber qual é o quociente exato que a mim cabe!

— Não passo de humilde e rude servo de Vossa Majestade — ganiu o chacal, em tom humílimo de respeito. — Cumpre-me, pois, obedecer cegamente à ordem que acabo de receber. Vou, como se fora um sábio geômetra, dividir aqueles três animais por nós dois. Trata-se de uma simples divisão de três por dois! A divisão matematicamente certa e justa é a seguinte: a admirável ovelha, manjar digno de um soberano, cabe aos vossos reais caninos, pois é indiscutível que sois o rei dos animais; o belo bacorinho do qual estou ouvindo os harmoniosos grunhidos, deve caber também ao vosso real paladar, visto dizerem os entendidos que a carne de porco dá mais força e energia aos leões; e o saltitante coelho, com suas longas orelhas, deve ser, também, por vós saboreado a título de sobremesa, já que aos reis, por lei tradicional entre os povos, cabem sempre, como complemento dos opíparos banquetes, os manjares finos e delicados.

— Ó incomparável chacal! — exclamou o leão, encantado com a partilha que acabava de apreciar. — Como são harmoniosas e sábias as tuas palavras! Quem te ensinou esse artifício maravilhoso de dividir, com tanta perfeição e acerto, três por dois?

— A patada com que vossa justiça puniu, há pouco, o tigre arrogante e ambicioso, ensinou-me a dividir, com segurança, três por dois, quando, desses dois, um é leão, outro é chacal! Na Matemática do mais forte, penso eu, o quociente é sempre exato, e ao mais fraco, depois da divisão, nem o resto deve caber!

E, desse dia em diante, sugerindo sempre divisões dessa ordem, inspiradas na mais torpe sabujice, julgou o astucioso chacal que poderia viver tranquilo a sua vida de bajulador, a regalar-se com os sobejos que deixava o sanguinário leão.

Enganou-se.

Decorridas duas ou três semanas, o leão, irritado, faminto, desconfiou do servilismo do chacal e deu-lhe violenta patada, matando-o cruelmente.

Cabe aqui advertir.

É que a verdade deve ser dita, redita, e quarenta vezes repetida:

— O castigo de Deus está mais perto do pecador, do que as pálpebras estão dos olhos![1]

— Eis aí, ó judicioso ulemá Nascif — concluiu Beremiz —, eis aí, narrada com a maior simplicidade, uma fábula, na qual assinalamos duas divisões. A primeira foi uma divisão de *três* por *três*, que foi indicada, mas deixou de ser efetuada. A segunda foi uma divisão de *três* por *dois*, que foi efetuada sem deixar *resto*.

Ouvidas essas palavras do calculista, fez-se, no divã do rei, profundo silêncio. Aguardavam, todos, com vivo interesse, a apreciação, ou melhor, a sentença, do terrível arguidor.

O xeque Nascif Rahal, depois de ajeitar nervosamente o seu gorro verde e passar a mão pela barba, proferiu, com certo azedume, o seu julgamento:

1. Sentença árabe. Citada no livro das *Mil e Uma Noites*.

— A fábula narrada atendeu, perfeitamente, às exigências por mim formuladas. Confesso que não a conhecia. É, a meu ver, das mais felizes. O famoso Esopo,[2] o grego, não faria melhor. É esse o meu parecer. Alá, porém, é mais sábio e mais justo.[3]

A narrativa de Beremiz, aprovada pelo xeque do gorro verde, agradou a todos os vizires e nobres muçulmanos. O príncipe Cluzir Schá, hóspede do rei, declarou em voz alta:

— Encerra essa fábula, que acabamos de ouvir, profunda lição de moral. Os vis bajuladores que rastejam nas cortes, sobre os tapetes dos poderosos, podem, a princípio, tirar algum proveito da subserviência, mas, no fim, são e serão sempre castigados, pois o castigo de Deus está sempre bem perto do pecador. Vou narrá-la aos meus amigos e auxiliares, logo que voltar para as terras de Lahore!

Do soberano árabe a narrativa de Beremiz mereceu o qualificativo de maravilhosa. Determinou, ainda, o grande emir, que a singular divisão de três por três fosse conservada nos arquivos do califado, pois a narrativa de Beremiz, por suas elevadas finalidades morais, merecia ser escrita com letras de ouro nas asas transparentes de uma borboleta branca do Cáucaso.[4]

A seguir teve a palavra o sexto ulemá.

O sexto sábio era um cordovês. Tinha vivido quinze anos na Espanha e de lá fugira por ter caído no desagrado de um príncipe muçulmano. Era homem de meia-idade, rosto redondo, fisionomia franca e risonha. Diziam os seus admiradores que ele era muito hábil em escrever versos humorísticos ou sátiras

---

2. Fabulista grego. Viveu seis séculos antes de Cristo. Era escravo.

3. A ética muçulmana recomenda que um bom juiz nunca deve proferir uma sentença sem acrescentar essa frase: "Alá, porém, é mais sábio e mais justo." Com isso, o magistrado assegura que só Deus julgaria melhor do que ele. Pura falta de modéstia!

4. Exagero fantasioso dos árabes.

contra os tiranos. Durante seis anos trabalhara, no Iêmen, como simples mutavif.[5]

— Emir do Mundo! — começou o cordovês, dirigindo-se ao califa. — Acabo de ouvir, com verdadeiro encanto, essa admirável fábula denominada a divisão de três por dois. Ela encerra, a meu ver, grandes ensinamentos e profundas verdades. Verdades claras como a luz do sol na hora do adduhr.[6] Vejo-me forçado a confessar que os preceitos maravilhosos tomam forma viva quando apresentados sob a forma de histórias ou de fábulas. Conheço uma lenda que não contém divisões, quadrados ou frações, mas que envolve um problema de Lógica, passível de resolução por meio de um raciocínio puramente matemático. Narrada a lenda, veremos como o exímio calculista poderá resolver o problema nela contido.

E o sábio cordovês contou o seguinte:

5. Ver Glossário.

6. Meiodia. Hora do sol mais intenso.

31

No qual o sábio cordovês conta uma lenda. Os três noivos de Dahizé. O problema dos cinco discos. Como Beremiz reproduziu o raciocínio de um noivo inteligente. Curiosa opinião de um xeque iemenita que não entendeu o problema.

Maçudi, o famoso historiador árabe,[1] nos vinte e dois volumes de sua obra, fala dos sete mares, dos grandes rios, dos elefantes célebres, dos astros, das montanhas, dos diferentes reis da China e de mil outras coisas, e não faz a menor referência ao nome de Dahizé, filha única do rei Cassim, o "Indeciso". Não importa. Apesar de tudo Dahizé não ficará esquecida, pois entre os manuscritos árabes foram encontrados mais de quatrocentos mil versos nos quais centenas de poetas louvam e exaltam os encantos e predicados da famosa princesa. A tinta gasta para descrever a beleza dos olhos de Dahizé, transformada em azeite, daria para iluminar a cidade do Cairo durante meio século.

— É exagero — direis.

Não admito o exagero, ó Irmãos dos Árabes! O exagero é uma forma disfarçada de mentir!

Passemos, porém, ao caso que nos interessa.

Quando Dahizé completou dezoito anos e vinte e sete dias de idade foi pedida em casamento por três príncipes cujos nomes a tradição perpetuou: Aradim, Benefir e Camozã.

O rei Cassim ficou indeciso. Como escolher, entre os três ricos pretendentes, aquele que deveria ser o noivo de sua filha? Feita a escolha, a consequência fatal seria a seguinte: ele, o rei, ganharia um genro, mas, em troca, adquiriria dois rancorosos inimigos! Péssimo negócio para um monarca sensato e cauteloso, que desejava viver em paz com seu povo e seus vizinhos.

A princesa Dahizé, consultada, afinal, declarou que se casaria com o mais inteligente dos seus apaixonados.

A decisão da jovem foi recebida com grande contentamento pelo rei Cassim. O caso, que parecia tão delicado, apresentava

1. Ver Índice de autores.

uma solução muito simples. O soberano árabe mandou chamar os cincos maiores sábios da corte e disse-lhes que submetessem os três príncipes a um rigoroso exame.

Qual seria, dos três, o mais inteligente?

Terminadas as provas, os sábios apresentaram ao monarca minucioso relatório. Os três príncipes eram inteligentíssimos. Conheciam profundamente Matemática, Literatura, Astronomia e Física; resolviam complicados problemas de xadrez, questões sutilíssimas de Geometria, enigmas arrevesados e charadas obscuras!

— Não encontramos artifício — concluíram os sábios — que nos permitisse chegar a um resultado definitivo a favor deste ou daquele!

Diante desse lamentável fracasso da ciência, resolveu o rei consultar um dervixe que tinha fama de conhecer a magia e os segredos do ocultismo.

O sábio dervixe disse ao rei:

— Só conheço um meio que vai permitir determinar o mais inteligente dos três! É a prova dos cinco discos!

— Façamos, pois, essa prova — concordou o rei.

Os três príncipes foram levados ao palácio. O dervixe, mostrando-lhes cinco discos de madeira muito fina, disse-lhes:

— Aqui estão cinco discos, dos quais dois são pretos e três brancos. Reparai que eles são do mesmo tamanho e do mesmo peso, e só se distinguem pela cor.

A seguir, um pajem vendou cuidadosamente os olhos dos três príncipes, deixando-os impossibilitados de distinguir a menor sombra.

O velho dervixe tomou então ao acaso três dos cinco discos, e pendurou-os às costas dos três pretendentes.

Disse, então, o dervixe:

— Cada um de vós tem preso às costas um disco cuja cor ignora! Sereis interrogados um a um. Aquele que descobrir a cor do disco que lhe coube por sorte, será declarado vencedor e casará com a linda Dahizé. O primeiro a ser interrogado poderá ver os discos dos dois outros concorrentes; ao segundo será permitido ver o disco do último. E este terá que formular a sua resposta sem ver coisa alguma! Aquele que der a resposta certa, para provar que não foi favorecido pelo acaso, terá que justificá-la por meio de um raciocínio rigoroso, metódico e simples. Qual de vós deseja ser o primeiro?

Respondeu prontamente o príncipe Camozã:

— Quero ser o primeiro!

O pajem retirou a venda que cobria os olhos do príncipe Camozã, e este pôde ver a cor dos discos que se achavam presos às costas de seus rivais.

Interrogado, em segredo, pelo dervixe, não foi feliz na resposta. Declarado vencido, foi obrigado a retirar-se do salão. Camozã viu dois dos discos e não soube dizer, com segurança, qual a cor de seu disco.

O rei anunciou em voz alta, a fim de prevenir os dois outros:

— O jovem Camozã acaba de fracassar!

— Quero ser o segundo — declarou o príncipe Benefir.

Desvendados os seus olhos, o segundo príncipe olhou para as costas do terceiro e último competidor e viu a cor do disco. Aproximou-se do dervixe e formulou, em segredo, a sua resposta.

O dervixe sacudiu negativamente a cabeça. O segundo príncipe havia errado, e foi logo convidado a deixar o salão.

Restava apenas o terceiro concorrente, o príncipe Aradim.

Este, logo que o rei anunciou a derrota do segundo pretendente, aproximou-se, com os olhos ainda vendados, do trono, e declarou, em voz alta, a cor exata de seu disco.

Concluída a narrativa, o sábio cordovês voltou-se para Beremiz e interrogou-o:

— O príncipe Aradim, para formular a resposta certa, arquitetou um raciocínio rigorosamente perfeito; esse raciocínio levou-o a resolver, com absoluta segurança, o problema dos cinco discos e conquistar a mão da formosa Dahizé.

Desejo, pois, saber:

1º) Qual foi a resposta do príncipe Aradim?

2º) Como descobriu ele, com a precisão de um geômetra, a cor de seu disco?

De cabeça baixa refletiu Beremiz durante alguns instantes. E depois, erguendo o rosto, passou a discorrer sobre o caso, com desembaraço e segurança. E disse:

— O príncipe Aradim, herói da curiosa lenda que acabamos de ouvir, respondeu, certamente, ao rei Cassim, pai de sua amada:

— O meu disco é branco!

E, ao proferir tal afirmação, tinha a certeza lógica de que estava dizendo a verdade:

— O meu disco é branco!

E qual foi o raciocínio que ele fez para chegar a essa conclusão certa e infalível?

O raciocínio do príncipe Aradim foi o seguinte:

"O primeiro pretendente, Camozã, antes de responder, pôde ver os discos que haviam sido colocados em seus rivais. Viu esses *dois* discos e errou.

Convém insistir: dos cinco discos (*três* brancos e *dois* pretos) Camozã viu dois e, ao responder, errou.

E errou por quê?

Errou porque respondeu por palpite, na incerteza.

Ora, se ele tivesse visto, em seus rivais, *dois discos pretos*, não teria errado, não ficaria em dúvida, e diria logo ao rei: "Vejo, em meus competidores, dois discos pretos, e, como só há dois discos pretos, o meu é forçosamente branco."

E, com essa resposta, teria sido declarado vencedor.

Mas Camozã, o primeiro noivo, errou. Logo os discos que ele viu não eram ambos *pretos*.

Ora, se esses discos, vistos por Camozã, não eram ambos pretos, só há duas hipóteses:

1ª hipótese:

Camozã viu dois discos brancos.

2ª hipótese:

Camozã viu um disco preto e outro branco.

De acordo com a 1ª hipótese (refletiu Aradim) o meu disco *era branco*.

Resta, apenas, analisar a segunda hipótese:

Vamos supor que Camozã tenha visto um disco preto e outro branco.

Com quem estaria o disco preto?

Se o disco preto estivesse comigo, raciocinou Aradim, o segundo pretendente teria acertado.

Com efeito.

O segundo noivo da princesa teria feito o seguinte raciocínio:

— Vejo no terceiro competidor um disco preto; se o meu também fosse preto, o primeiro candidato (Camozã), ao ver dois discos pretos não teria errado. Logo, se ele errou (poderia concluir o segundo candidato) o meu disco é branco.

Mas, que ocorreu?

O segundo pretendente também errou. Ficou na dúvida. E ficou na dúvida por ter visto em mim (refletiu Aradim) não um disco preto, mas um disco branco.

Conclusão de Aradim:

De acordo com a 2ª hipótese o meu disco também é branco.

— Foi esse — concluiu Beremiz — o raciocínio feito por Aradim para resolver, com segurança, o problema dos cinco discos, e declarar ao dervixe:

— O meu disco é branco!

O sábio cordovês, tomando, logo a seguir, da palavra, declarou ao califa, num ímpeto de irreprimível admiração, que a solução dada por Beremiz ao problema dos cinco discos havia sido completa e brilhantíssima.

O raciocínio, formulado com clareza e simplicidade, apresentava-se impecável para o geômetra mais exigente.

Assegurou, ainda, o cordovês, que as pessoas ali presentes no rico divã do rei haviam, em sua totalidade, compreendido o problema dos cinco discos, e que seriam capazes de repeti-lo, mais tarde, para qualquer caravaneiro do deserto.

Um xeque iemenita, que se achava na minha frente, sentado numa almofada vermelha, tipo moreno, mal-encarado, cheio de joias, murmurou a um amigo, oficial da corte, que se achava ao seu lado:

— Está ouvindo, capitão Sayeg? Afirma esse pândego, lá de Córdova, que todos nós aqui entendemos essa história de disco preto e disco branco. Duvido muito. Eu, por mim, confesso: não entendi nada!

E acrescentou:

— Só mesmo um dervixe cretino teria essa ideia aloucada de pregar discos pretos e brancos nas costas dos três noivos. Não acha? Não seria mais prático promover uma corrida de camelos no deserto? O vencedor seria o escolhido e estaria tudo acabado. Não acha?

O capitão Sayeg não respondeu. Parecia não dar a menor

atenção ao iemenita de poucas luzes que achava acertado resolver o problema sentimental com corridas de camelos no deserto.

O califa, com ar afável e distinto, declarou Beremiz vencedor da sexta e penúltima prova do concurso.

Teria o nosso amigo calculista o mesmo êxito na prova final? Seria coroado com o mesmo brilhantismo?

Ora, só Alá sabe a verdade!

Mas, afinal, as coisas pareciam correr à medida dos nossos desejos.

32

Como foi Beremiz interrogado por um astrônomo libanês. O problema da pérola mais leve. O astrônomo cita um poeta em homenagem ao calculista.

Chamava-se Mohildin Ihaia Banabixacar, geômetra e astrônomo, uma das figuras mais extraordinárias do Islã, o sétimo e último sábio que devia arguir Beremiz. Nascido no Líbano, tinha o nome escrito em cinco mesquitas e seus livros eram lidos até pelos rumis.[1] Seria impossível encontrar-se, sob o céu do Islã, inteligência mais possante e cultura mais sólida e vasta.

O erudito Banabixacar, o Libanês,[2] na sua linguagem clara e impecável, assim falou, com bonomia sorridente:

— Sinto-me, realmente, encantado com o que tive oportunidade de ouvir. O ilustre matemático persa acaba de demonstrar, várias vezes, a pujança de seu incomparável talento. Gostaria, também, colaborando neste brilhante torneio, de oferecer ao calculista Beremiz Samir interessante problema que aprendi, quando ainda moço, de um sacerdote budista que cultivava a Ciência dos Números.

Acudiu o califa, vivamente interessado:

— Ouviremos, ó Irmão dos Árabes, com o máximo prazer, a vossa arguição. Espero que o jovem persa, que até agora se tem mantido inabalável nos domínios do Cálculo, saiba resolver a questão formulada pelo velho budista (Alá se compadeça desse idólatra!).[3]

Percebendo o sábio libanês que sua inesperada proposta havia despertado a atenção do rei, dos vizires e dos nobres muçulmanos, assim falou, dirigindo-se serenamente ao Homem que Calculava:

— A esse problema caberia perfeitamente denominação de "problema da pérola mais leve". Tem o seguinte enunciado:

1. Cristãos.

2. Eis como Lamartine, *Viagem ao Oriente, II* vol., pág. 535, se referiu aos libaneses: "Trazem as armas da Fé nos corações e as armas da luta em seus braços." Cf. Tanus Jorge Bastani, *O Líbano e os Libaneses no Brasil*, 1945, pág. 58.

3. Para um crente do Islã o budista é incluído entre os idólatras. E, por se tratar de um sábio, o rei pede (para esse budista) a misericórdia de Deus.

"Um mercador de Benares, na Índia, dispunha de oito pérolas iguais — na forma, no tamanho e na cor. Dessas oito pérolas, sete tinham o mesmo peso; a oitava, entretanto, era um pouquinho mais leve que as outras. Como poderia o mercador descobrir a pérola mais leve e indicá-la, com toda segurança, usando a balança apenas duas vezes, isto é, efetuando apenas duas pesagens? É esse o problema, ó Calculista! Queira Alá inspirar-te a solução mais simples e mais perfeita!

Ao ouvir o enunciado do problema das pérolas, um xeque, de cabelos brancos, com largo colar de ouro, que se achava ao lado do capitão Sayeg, murmurou, em voz baixa:

— Que belíssimo problema! Esse sábio libanês é um monstro! Glória ao Líbano, o País dos Cedros!

Beremiz Samir, depois de refletir durante breves instantes, assim falou, com voz remansada e firme:

— Não me parece difícil ou obscuro o problema budista da pérola mais leve. Um raciocínio bem encaminhado pode revelar-nos, desde logo, a solução.

Vejamos: Tenho oito pérolas iguais. Iguais na forma, na cor, no brilho e no tamanho. Rigorosamente iguais, diríamos assim. Alguém nos assegurou que, entre essas oito pérolas, destaca-se uma que é um pouquinho mais leve do que as outras sete, e que essas outras sete apresentam o mesmo peso. Para descobrir a mais leve só há um meio. É usar uma balança. E deve ser, para o caso das pérolas, uma balança delicada e fina, de braços longos e pratos bem leves. A balança deve ser *sensível*. E mais ainda. A balança deve ser exata. Tomando as pérolas duas a duas e colocando-as na balança (uma em cada prato), eu descubro, é claro, qual a pérola mais leve; mas se a pérola mais leve for uma das duas últimas eu serei obrigado a efetuar quatro pesagens. Ora, o problema exige que a pérola mais leve seja descoberta e determinada com duas pesagens apenas — qualquer que seja a posição por ela ocupada. A solução que me parece mais simples é a seguinte:

— Dividamos as pérolas em três grupos. E chamemos A, B e C esses grupos.

O grupo *A* terá três pérolas; o grupo *B* terá, também, três pérolas; o terceiro grupo *C* será constituído pelas duas restantes. Com duas pesagens devo apontar com segurança, sem possibilidade de erro, qual a pérola mais leve, sabendo que sete são iguais em peso.

Levemos os grupos *A* e *B* para a balança e coloquemos um grupo em cada prato (estamos, assim, efetuando a primeira pesagem).

Duas hipóteses podem ocorrer:

1ª hipótese — Os grupos *A* e *B* apresentam pesos iguais.

2ª hipótese — Os grupos *A* e *B* apresentam pesos desiguais, sendo um deles (o *A*, por exemplo) mais leve.

Na *primeira hipótese* (*A* e *B* com o mesmo peso) podemos garantir que a pérola mais leve não pertence ao grupo *A*, nem figura no grupo *B*. A pérola procurada é uma das duas que formam o grupo *C*.

Tomemos, pois, essas duas pérolas que formam o grupo *C* e levemo-las para a balança e ponhamos uma em cada prato (segunda pesagem). A balança indicará qual a mais leve, que fica, assim, determinada.

Na *segunda hipótese* (*A* sendo mais leve do que *B*) é claro que a pérola mais leve pertence ao grupo *A*, ou melhor, a pérola mais leve é uma das três pérolas do grupo menos pesado. Tomemos, então, duas pérolas quaisquer do grupo A e deixemos a outra de lado. Levemos essas duas pérolas à balança e pesemo-las (segunda pesagem). Se a balança ficar em equilíbrio, a terceira pérola (que ficara de lado) é a mais leve. Se houver desequilíbrio, a pérola mais leve estará no prato que subiu.

— Fica assim, ó Príncipe dos Crentes — rematou Beremiz —, resolvido o *problema da pérola mais leve,* formulado por ilustre sacerdote budista e aqui apresentado pelo nosso hóspede geômetra libanês.

O astrônomo Banabixacar, o Libanês, classificou de impecável a solução apresentada por Beremiz, e rematou a sua sentença nos seguintes termos:

— Só um verdadeiro geômetra poderia raciocinar com tanta perfeição. A solução que acabo de ouvir, em relação ao *problema da pérola mais leve,* é um verdadeiro poema de beleza e simplicidade.

E para homenagear o calculista o velho astrônomo do país dos cedros proferiu os seguintes versos:

Se uma rosa de amor tu guardaste,
Bem no teu coração;
Se a um Deus supremo e justo endereçaste
Tua humilde oração;
Se com a taça erguida
Cantaste, um dia, o teu louvor à vida,
Tu não viveste em vão...

Beremiz agradeceu emocionado, inclinando ligeiramente a cabeça e levando a mão direita à altura do coração. Os versos que ele acabara de ouvir eram de um poeta persa, que foi também geômetra e astrônomo: Omar Khayyám. (Que Alá o tenha em sua glória!)

Sim, por Alá! Que beleza de Omar Khayyám. "Tu não viveste em vão!"...

33

No qual o califa Al-Motacém oferece ouro e palácios ao calculista. A recusa de Beremiz. Um pedido de casamento. O problema dos olhos pretos e azuis. Como Beremiz determinou, pelo cálculo, a cor dos olhos de cinco escravas.

Terminada a exposição feita por Beremiz sobre os problemas propostos pelo sábio libanês, o sultão, depois de conferenciar em voz baixa com dois de seus conselheiros, assim falou:

— Pela resposta dada, ó Calculista, a todas as perguntas, fizeste jus ao prêmio que te prometi. Deixo, portanto, à tua escolha: queres receber vinte mil dinares de ouro ou preferes possuir um palácio em Bagdá? Desejas o governo de uma província ou ambicionas o cargo de vizir na minha corte?

— Rei generoso! — respondeu Beremiz profundamente emocionado. — Não ambiciono riquezas, títulos, homenagens e regalos porque sei que os bens materiais nada valem; a fama que pode advir dos cargos de prestígio não me seduz, pois o meu espírito não sonha com a glória efêmera do mundo. Se é vosso desejo tornar-me, como dissestes, invejado por todos os muçulmanos, o meu pedido é o seguinte: Desejo casar-me com a jovem Telassim, filha do xeque Iezid Abud-Hamid.

O inesperado pedido formulado pelo calculista causou indizível assombro. Percebi, pelos rápidos comentários que pude ouvir, que todos os muçulmanos que ali se achavam não tinham mais dúvida alguma sobre o estado de demência de Beremiz.

— É um louco, esse calculista! — murmurou, atrás de mim, o velhote magro, de túnica azul. — É um louco! Despreza a riqueza, rejeita a glória, para casar-se com uma jovem que ele nunca viu!

— Esse moço está alucinado — concordou o homem da cicatriz. — Repito: alucinado! Deseja uma noiva que talvez o deteste! Por Alá, *Al-Latif*.[1]

— E a *baraka* do tapetinho azul? — comentou, em surdina,

1. O Revelador. Um dos noventa e nove epítetos honrosos que os muçulmanos aplicam a Deus.

com certa malícia, o capitão Sayeg. — E a *baraka* do tapetinho?

— Qual *baraka*, qual nada! — protestou o velhinho, falando muito baixo. — Não há *baraka* capaz de vencer um coração de mulher!

Eu ouvia aqueles comentários proferidos em surdina, fingindo que estava com a atenção muito longe dali.

Ao ouvir o pedido de Beremiz, o califa franziu a testa e ficou muito sério. Chamou para seu lado o xeque Iezid, e ambos (o califa e o pai de Telassim) conversaram sigilosamente durante alguns instantes.

Que poderia resultar daquele grave conluio?

Estaria o xeque de acordo com o inesperado noivado de sua filha?

Decorridos alguns instantes o califa assim falou, em meio de profundo silêncio:

— Não farei, ó Calculista, oposição alguma ao teu romântico e auspicioso casamento com a formosa Telassim. O meu prezado amigo, xeque Iezid, que acabei de consultar, aceita-te como genro. Reconhece, em ti, um homem de caráter, bem-educado, e profundamente religioso! É bem verdade que a jovem Telassim estava prometida a um xeque damasceno que se acha, agora, combatendo na Espanha. Mas uma vez que ela própria deseja mudar o rumo de sua vida, não tentarei intervir em seu destino. Maktub! Estava escrito! A flecha, solta no ar, exclama cheia de alegria: "Por Alá! Sou livre! Sou livre!" Engana-se! Já tem o seu destino marcado pela pontaria do atirador.[2] Assim é a jovem Flor do Islã! Abandona um xeque opulento e nobre, que poderia ser, amanhã, um grão-vizir, um governador, e aceita como esposo um simples e modesto calculista persa! Maktub!

2. O pensamento da flecha é de Tagore.

Seja tudo o que Alá quiser!

Neste ponto, o poderoso Emir dos Árabes fez uma ligeira pausa e logo prosseguiu, enérgico:

— Imponho, entretanto, uma condição. Terás, ó exímio matemático, de resolver, diante de todos os nobres que aqui se acham, curioso problema inventado por um dervixe do Cairo. Se resolveres esse problema, casarás com Telassim; caso contrário, terás de desistir para sempre dessa fantasia louca de beduíno que bebeu haxixe. E de mim nada mais receberás! Serve-te a proposta?

— Emir dos Crentes! — retorquiu Beremiz com tranquilidade e firmeza. — Desejo, apenas, conhecer os termos do aludido problema, a fim de poder solucioná-lo com os prodigiosos recursos do Cálculo e da Análise!

Respondeu o poderoso califa:

— O problema, na sua expressão mais simples, é o seguinte: Tenho cinco lindas escravas; comprei-as há poucos meses, de um príncipe mongol. Dessas cinco encantadoras meninas, duas têm os olhos negros, as três restantes têm os olhos azuis. As duas escravas de olhos negros, quando interrogadas, *dizem sempre a verdade*; as escravas de olhos azuis, ao contrário, são mentirosas, isto é, *nunca dizem a verdade*. Dentro de alguns minutos, essas cinco jovens serão conduzidas a este salão: todas elas terão o rosto inteiramente oculto por espesso véu. O haic que as envolve torna impossível, em qualquer delas, o menor traço fisionômico. Terás que descobrir e indicar, sem a menor possibilidade de erro, quais as raparigas de olhos negros e quais as de olhos azuis. Poderás interrogar três das cinco escravas, não sendo permitido, em caso algum, fazer mais de uma pergunta à mesma jovem. Com auxílio das três respostas obtidas, o problema deverá ser solucionado, sendo a solução justificada com todo rigor matemático. E as perguntas, ó Calculista, devem ser de tal natureza que só as próprias escravas sejam capazes de responder com perfeito conhecimento.

Momentos depois, sob os olhares curiosos dos circunstantes, apareciam no grande divã das audiências as cinco escravas de Al-Motacém. Apresentavam-se cobertas com longos véus negros da cabeça aos pés; pareciam verdadeiros fantasmas do deserto.

— Eis aí — confirmou o Emir com certo orgulho. — Eis aí as cinco jovens do meu harém. Duas têm (como já disse) os olhos pretos — e só dizem a verdade. As outras três têm os olhos azuis e mentem sempre!

— Vejam só a minha desgraça — sussurrou o velhinho de cara chapada. — Vejam a minha triste sorte! A filha de meu tio tem os olhos pretos, pretíssimos, e mente o dia inteiro!

Aquela observação pareceu-me inoportuna. O momento era grave, muito grave, e não admitia gracejos. Felizmente, ninguém deu a menor atenção às palavras amalucadas do velhinho impertinente e falador.

Sentiu Beremiz que chegara o momento decisivo de sua carreira, o ponto culminante de sua vida. O problema formulado pelo califa de Bagdá, sobre ser original e difícil, poderia envolver embaraços e dúvidas imprevisíveis.

Ao calculista seria facultada a liberdade de arguir três das cinco raparigas. Como, porém, iria descobrir, pelas respostas, a cor dos olhos de todas elas? Qual das três deveria ele interrogar? Como determinar as duas que ficariam alheias ao interrogatório?

Havia uma indicação preciosa: as de olhos negros diziam sempre a verdade; as outras três (de olhos azuis) mentiam invariavelmente!

E isso bastaria?

Vamos supor que o calculista interrogasse uma delas. A pergunta devia ser de tal natureza que só a escrava interrogada soubesse responder. Obtida a resposta, continuaria a dúvida. A interrogada teria dito a verdade? Teria mentido? Como apurar o resultado, se a resposta certa não era por ele conhecida?

O caso era, realmente, muito sério.

As cinco embuçadas colocaram-se em fila ao centro do suntuoso salão. Fez-se grande silêncio. Nobres muçulmanos, xeques e vizires acompanhavam com vivo interesse o desfecho daquele novo e singular capricho do rei.

O calculista aproximou-se da primeira escrava (que se achava no extremo da fila, à direita) e perguntou-lhe com voz firme e pausada:

— De que cor são os teus olhos?

Por Alá! A interpelada respondeu em dialeto chinês, totalmente desconhecido pelos muçulmanos presentes! Beremiz protestou. Não compreendera uma única palavra da resposta dada.

Ordenou o califa que as respostas fossem dadas em árabe puro, e em linguagem simples e precisa.

Aquele inesperado fracasso veio agravar a situação do calculista. Restavam-lhe, apenas, duas perguntas, pois a primeira já era considerada inteiramente perdida para ele.

Beremiz, que o insucesso não havia conseguido desalentar, voltou-se para a segunda escrava e interrogou-a:

— Qual foi a resposta que a sua companheira acabou de proferir?

Disse a segunda escrava:

— As palavras dela foram: "Os meus olhos são azuis."

Essa resposta nada esclarecia. A segunda escrava teria dito a verdade ou estaria mentindo? E a primeira? Quem poderia confiar em suas palavras?

A terceira escrava (que se achava no centro da fila) foi interpelada a seguir, pelo calculista, da seguinte forma:

— De que cor são os olhos dessas duas jovens que acabo de interrogar?

A essa pergunta — que era, aliás, a última a ser formulada — a escrava respondeu:

— A primeira tem os olhos negros e a segunda olhos azuis!

Seria verdade? Teria ela mentido?

O certo é que Beremiz, depois de meditar alguns minutos, aproximou-se tranquilo do trono e declarou:

— Comendador dos Crentes, Sombra de Alá na Terra! O problema proposto está inteiramente resolvido e a sua solução pode ser anunciada com absoluto rigor matemático. A primeira escrava (à direita) tem olhos negros; a segunda tem os olhos azuis; a terceira tem os olhos negros e as duas últimas têm olhos azuis!

Erguidos os véus e retirados os pesados haics, as jovens apareceram sorridentes, os rostos descobertos. Ouviu-se um *ialá* de espanto no grande salão. O inteligente Beremiz havia falado, com precisão admirável, a cor dos olhos de todas elas!

— Pelos méritos do Profeta — exclamou o rei. — Já tenho proposto esse mesmo problema a centenas de sábios, ulemás, poetas e escribas — e afinal esse modesto calculista é o primeiro que consegue resolvê-lo! Como foi, ó jovem, que chegaste a essa solução? De que modo poderás demonstrar que não havia, na resposta final, a menor possibilidade de erro?

Interrogado desse modo, pelo generoso monarca, o Homem que Calculava assim falou:

— Ao formular a primeira pergunta: "Qual a cor dos teus olhos?" eu sabia que a resposta da escrava seria fatalmente a seguinte: "Os meus olhos são negros!" Com efeito, se ela tivesse os olhos negros diria a verdade, isto é, afirmaria: "Os meus olhos são negros!" Tivesse ela os olhos azuis, mentiria, e, assim, ao responder, diria também: "Os meus olhos são negros!" Logo, eu afirmo que a resposta da primeira escrava era uma única, forçada e bem determinada: "Os meus olhos são negros!"

Feita, portanto, a pergunta, esperei pela resposta que, previamente, conhecia. A escrava, respondendo em dialeto desconhecido, auxiliou-me de modo prodigioso. Realmente, alegando não ter entendido o arrevesado idioma chinês, interroguei a segunda escrava: "Qual foi a resposta que a sua companheira acabou de proferir?" Disse-me a segunda: "As palavras foram: Os meus olhos são azuis!" Tal resposta vinha demonstrar que a segunda mentia, pois essa não podia ter sido, de forma alguma (como já provei) a resposta da primeira jovem. Ora, se a segunda mentia, era evidente que tinha os olhos azuis. Reparai, ó Rei, nessa particularidade notável para a solução do enigma! Das cinco escravas, nesse momento, havia uma cuja incógnita estava, pois, por mim resolvida com todo rigor matemático. Era a segunda. Havia faltado com a verdade; logo, tinha os olhos azuis. Restavam ainda a descobrir quatro incógnitas do problema.

Aproveitando a terceira e última pergunta, interpelei a escrava que se achava no centro da fila: "De que cor são os olhos das duas jovens que acabei de interrogar?" Eis a resposta que obtive: "A primeira tem os olhos negros e a segunda tem os olhos azuis!" Ora, em relação à segunda eu não tinha dúvida (conforme já expliquei). Que conclusão pude tirar, então, da terceira resposta? Muito simples. A terceira escrava não mentira, pois confirmara que a segunda tinha os olhos azuis. Se a terceira não mentira, os seus olhos eram negros e as suas palavras eram a expressão da verdade, isto é, a primeira escrava tinha, também, os olhos negros. Foi fácil concluir que as duas últimas, por exclusão (à semelhança da segunda), tinham os olhos azuis!!

Posso asseverar, ó Rei do Tempo, que nesse problema, embora não apareçam fórmulas, equações ou símbolos algébricos, a solução, para ser certa e perfeita, deve ser obtida por meio de um raciocínio puramente matemático.

Estava resolvido o problema do califa. Outro, muito mais difícil, Beremiz seria, em breve, forçado a resolver: Telassim, o sonho de uma noite em Bagdá!

Louvado seja Alá, que criou a Mulher, o Amor e a Matemática!

34

— Segue-me — disse Jesus. — Eu sou o caminho que deves trilhar, a verdade em que deves crer, a vida que deves esperar. Eu sou o caminho sem perigo; a verdade sem erro e a vida sem morte.[1]

1. Ver *Sob o Olhar de Deus*, cap. XV.

Na terceira lua do mês de Rhegeb, do ano de 1258, uma horda de tártaros e mongóis atacou a cidade de Bagdá. Os assaltantes eram comandados por um príncipe mongol, neto de Gêngis Khan.

O xeque Iezid (Alá o tenha em sua glória!) morreu combatendo junto à ponte de Solimã; o califa Al-Motacém entregou-se prisioneiro e foi degolado pelos mongóis.[2]

A cidade foi saqueada e cruelmente arrasada.

A gloriosa Bagdá, que durante quinhentos anos fora um centro de ciências, letras e artes, ficou reduzida a um montão de ruínas.

Felizmente não assisti a esse crime que os bárbaros conquistadores praticaram contra a civilização. Três anos antes, logo depois da morte do generoso príncipe Cluzir Schá (Alá o tenha em sua paz!), segui para Constantinopla com Beremiz e Telassim.

Devo dizer que Telassim, antes de seu casamento, já era cristã, e ao cabo de poucos meses fez com que Beremiz repudiasse a religião de Maomé e adotasse integralmente o Evangelho de Jesus, o Salvador.

Beremiz fez questão de ser batizado por um bispo que soubesse a Geometria de Euclides.

Todas as semanas vou visitá-lo. Chego às vezes a invejar-lhe a felicidade em que vive em companhia dos três filhinhos e da carinhosa esposa.

Ao ver Telassim, lembro-me das palavras do poeta:

2. A conquista de Bagdá, pelas hordas impiedosas de Houlagou, é descrita por vários historiadores. A cidade foi cruelmente saqueada pelos bárbaros invasores. Tudo foi arrasado e destruído: o fogo consumiu os grandes palácios e as mais ricas mesquitas. O sangue dos mortos inundou as ruas e as praças. Os mongóis atiraram ao Tigre todos os livros das grandes bibliotecas, e os preciosos manuscritos, misturados na lama, formaram uma ponte sobre a qual os conquistadores passavam a cavalo.

"Pela tua graça, mulher, conquistaste todos os corações. Tu és a obra sem mácula, saída das mãos do Criador."

E mais:

"Esposa de pura origem, ó perfumada! Sob as notas de tua voz as pedras levantam-se dançando e vêm, em ordem, erguer um edifício harmonioso![3]

Cantai, ó aves, as vossas cantigas mais puras! Brilhai, ó Sol, com a vossa mais doce luz!

Deixai voar as vossas flechas, ó Deus do Amor!

Mulher! É grande a tua felicidade: bendito seja o teu amor.[4]"

Não resta dúvida. De todos os problemas, o que Beremiz melhor resolveu foi o da Vida e do Amor.

E aqui termino, sem fórmulas e sem números, a história simples da vida do Homem que Calculava.

A verdadeira felicidade — segundo afirma Beremiz — só pode existir à sombra da religião cristã.

Louvado seja Deus! Cheios estão o Céu e a Terra da majestade de sua obra.[5]

3. Os versos citados são transcritos das *Mil e Uma Noites*, tradução de Nair Lacerda e de Domingos Carvalho da Silva.

4. Cf. Tagore, *A Alma das Paisagens*, pág. 260.

5. Dos *Salmos* de Davi.

Apêndice[1]

A Verdade não é monopólio de ninguém; é patrimônio comum das inteligências.

Leonel Franca, S.J.

A matemática deve ser útil; não nos esqueçamos, porém, de que essa ciência é, acima de tudo, uma mensagem de Sabedoria e Beleza.

H. Van Praag
À la Découverte de l'Algèbre, 9

1. Todas as notas que figuram neste Apêndice são da autoria do Prof. Breno Alencar Bianco.

A dedicatória deste livro e sua significação religiosa

E, ao fim, quando baixei novamente à planície e da planície, após, desci aos vales meus, meus olhos viram, num deslumbramento, que também nas planícies e nos vales, em tudo, estava Deus.[1]

GIBRAN KHALIL GIBRAN

Em relação à Dedicatória que figura neste livro, parece-me interessante dar aos leitores os seguintes esclarecimentos:

O matemático brasileiro Henrique César de Oliveira Costa (1879-1949), apelidado Dr. Costinha, que exerceu a cátedra no Colégio Pedro II, considerava a Dedicatória deste livro como "a página mais original que se apresentou, até agora, no imenso campo literário da Matemática".

Referindo-se à Dedicatória de *O Homem que Calculava* escreveu o erudito economista argentino, Prof. José Gonzalez Galé:

"O conteúdo altamente filosófico dessa estranha Dedicatória, pelos nomes famosos que envolve, é uma das lições mais surpreendentes de simplicidade e tolerância religiosa que tenho lido em toda a minha vida."

1. Trad. de Judas Isgorogota, *Os que Vêm de Longe*. São Paulo, 1954, p. 153.

Oito são os geômetras que M. T. distinguiu, de forma muito original, na Dedicatória deste livro. Vamos apresentar, sobre esses oito vultos notáveis da Ciência, rápidas indicações biográficas.

René Descartes, geômetra e filósofo francês (1595-1650). Estranhamente original em todos os ramos da Ciência. Criador da Geometria Analítica. Na *Antologia da Matemática* (Ed. Saraiva), poderá o leitor encontrar a biografia desse imortal pesquisador dos domínios abstratos. Era cristão.

Blaise Pascal, geômetra e filósofo francês (1623-1662). Deixou um traço profundo de sua genialidade na Geometria: o célebre Teorema de Pascal. Inventou, antes de qualquer outro, a primeira máquina de calcular. É apontado como um dos fundadores do Cálculo das Probabilidades. Era cristão-católico.

Isaac Newton, astrônomo e matemático inglês (1642-1727). Formulou a Lei da Gravitação Universal. Para um estudo completo da vida de Newton, convém ler *Antologia da Matemática*, I. vol. (Ed. Saraiva). Era cristão-protestante.

Gottfried Wilhelm Von Leibniz, matemático e filósofo alemão (1646-1716). Lançou os fundamentos do Cálculo Diferencial. Era cristão-protestante.

Leonardo Euler, matemático suíço (1707-1783). O mais fecundo dos geômetras. Calcula-se que tenha escrito cerca de mil e duzentas memórias sobre questões da Ciência. Era cristão-protestante.

Joseph Louis Lagrange, matemático francês, mas italiano de nascimento (1736-1813). Verdadeiramente genial em suas pesquisas em todos os quadrantes da Ciência. Elaborou a famosa *Mecânica Analítica*, um dos marcos no progresso da Matemática. A mais nobre e a mais abstrata das Ciências, em honra desse notável analista, é denominada "Ciência de Lagrange". Era cristão-católico.

Augusto Comte, filósofo e matemático francês (1798-1857). Fundador do Positivismo. O seu *Curso de Filosofia Positiva* pode ser apontado como uma das obras capitais da Filosofia no Século XIX. Era agnóstico. A sua *Geometria Analítica* foi de alto relevo para o progresso da Matemática.

Al-Kharismi, matemático e astrônomo persa. Viveu na primeira metade do Século IX. Contribuiu Al-Kharismi, de forma notável, para o progresso da Matemática. A ele devemos, entre outras coisas, na grafia dos números, o *sistema de posição*, isto é, o sistema no qual cada algarismo tem valor conforme a posição que ocupa no número. Era muçulmano.

Para o árabe muçulmano a denominação de infiel é dada a todo indivíduo não muçulmano, isto é, ao indivíduo que não aceita os dogmas do Islã e não segue a trilha do Alcorão, que é o Livro de Alá.

Dentro da ortodoxia islâmica serão, portanto, apontados como infiéis, os seguintes geômetras: Descartes, Pascal, Newton, Leibniz, Euler, Lagrange e Comte.

Temos, assim, sete infiéis. Os seis primeiros, cristãos, e o último, agnóstico.[2]

Um muçulmano piedoso, sincero, quando se refere a um infiel (cristão, idólatra, pagão, judeu, agnóstico ou ateu), isto é, quando cita o nome de um servo de Alá que viveu no erro, nas trevas do pecado (depois da revelação do Alcorão), por não

2. A denominação de agnóstico é dada ao indivíduo que professa o *Agnosticismo*. Agnosticismo é a corrente filosófica que leva o indivíduo a não tomar conhecimento dos problemas relacionados com a Metafísica. E assim, em relação à existência de Deus, por exemplo, o agnóstico não afirma, mas também não nega. Considera tal problema fora do alcance da razão humana. É um problema (afirma o agnóstico) que transcende à capacidade do nosso pensamento. A verdade absoluta (para o agnóstico) é incognoscível. Há, portanto, profunda diferença entre o ateu e o agnóstico. Para a pergunta "Deus existe?", o ateu responde "Não!". O agnóstico será incapaz de tal negativa e diz, apenas: "Não sei! A minha inteligência é fraca para esclarecer essa dúvida."

O termo *agnóstico* foi criado pelo naturalista inglês Thomas N. Huxley (1825-1895).

ter sido esclarecido pela Fé Muçulmana, acrescenta este apelo:

— *Alá se compadeça desse infiel!*

Ou recorre a esta fórmula que é, igualmente, piedosa:

— *Com ele (o infiel) a misericórdia de Al-Iah!*[3]

Aceitam os muçulmanos, como dogma, que o infiel, depois da vitória do Islamismo, tendo vivido na heresia, longe da Verdade, estará, fatalmente, depois da Morte, condenado às penas eternas. É preciso, pois, implorar sempre para os infiéis (especialmente para os sábios) a clemência infinita de Alá, o Misericordioso.[4]

Uma observação de alto relevo deve ser feita aqui:

Nos domínios da História da Ciência, as palavras *árabe* e *muçulmano* devem ser tomadas com sentido muito mais amplo. A maioria dos homens cultos, que floresceram no mundo islâmico, sob a proteção dos soberanos muçulmanos, não eram árabes de nascimento e muitos nem sequer eram muçulmanos.

Cf. Sir Tomas Arnold e Enrique de Taguá, *El Legado del Islam*, Madrid, 1947, pág. 493.

3. As relações entre o Islã e o Cristianismo são bem esclarecidas no livro de Frei Jean Abd-el-Julil, O.F.M., *Cristianismo e Islã*, Madri, 1954.

4. Alcorão, XVII, 110.

Calculistas famosos

A Matemática é um método geral do pensamento aplicável a todas as disciplinas e desempenha um papel dominante na ciência moderna.

ANTONIO MONTEIRO[1]

No capítulo II deste livro, destacamos o seguinte trecho:

"E, apontando para uma velha e grande figueira que se erguia a pequena distância, prosseguiu:

— Aquela árvore, por exemplo, tem duzentos e oitenta e quatro ramos. Sabendo-se que cada ramo tem, em média, trezentas e quarenta e sete folhas, é fácil concluir que aquela árvore tem um total de noventa e oito mil quinhentas e quarenta e oito folhas. Estará certo, meu amigo?"

O calculista, no caso, efetuou mentalmente o produto de 284 por 347. Essa operação é tida como muito simples diante dos cálculos prodigiosos que os calculistas famosos efetuam.

O americano Arthur Griffith, nascido no Estado de Indiana, efetuava mentalmente, em vinte segundos, a multiplicação de

1. Matemático português. Cf. *Gazeta da Matemática*, dez., 1944, pág. 11.

dois números quaisquer de nove algarismos cada um. Nesse gênero de cálculo cabe o recorde a um alemão, Zacarias Dase, que iniciou, aos quinze anos, a brilhante carreira de calculador. Dase superou os maiores prodígios, na capacidade de operar com números astronômicos. Os calculadores mais hábeis não multiplicam, em geral, fatores que apresentem mais de trinta algarismos. Dase ia além desse limite.

No século XVIII, o inglês Jededish Buxton conseguiu fazer uma multiplicação na qual figuravam 42 algarismos. Essa proeza era julgada inexcedível; Dase, porém, determinava mentalmente o produto exato de dois fatores com 100 algarismos cada um! Para a execução da raiz quadrada de um número de 80 ou 100 algarismos, ele exigia 42 minutos; e a complicada operação era efetuada mentalmente do princípio ao fim. Dase aplicou a sua milagrosa habilidade de calculista na continuação dos trabalhos das tábuas dos números primos de Buckbardt para os números compreendidos entre 7.000.000 e 10.000.000.

Os conhecimentos de Dase limitavam-se às regras de cálculo; era, no mais, de uma ignorância lamentável; isso ocorre, em geral, com os calculistas prodigiosos.

Além desses, houve muitos outros calculadores-prodígio. Citemos os seguintes: Maurice Dagobert (francês), Jededish Buxton (inglês), Tom Fuller (americano), Giacomo Inaudi (italiano) etc.

Para um estudo mais completo, indicamos: Dr. Jules Regnault, *Les Calculateurs Prodiges*, Paris, 1952, pág. 29 e s.s. Roberto Tocquet, *Les Calculateurs Prodiges et leurs Secrets*, Ed. de Pierre Amiot, Paris, 1957. Fred Barlow, *Mental Prodigies*, Londres, 1952. Wilhelm Lorei, *Le Mathématicien et le Calcul Numérique*, Sphinx, abril, 1934.

Os Árabes e a Matemática

Aqui estou a teu lado, combatente, árabe amigo,
meu amigo e irmão!

Por teu passado, pelo teu presente, por teu futuro
eu te estendo a mão!

Judas Isgorogota[1]

Foi notável a contribuição dos árabes para o progresso da Matemática. Não só pelas traduções e larga divulgação das obras de Euclides, de Menelau, de Apolônio etc., como também pelas notáveis renovações metodológicas no cálculo numérico (sistema indo-arábico).

A invenção do zero, por exemplo, é atribuída a um árabe, Mohammed Ibn Ahmad (do século X), que aconselhava em seu livro *Chave da Ciência*: "Sempre que não houver um número para representar as dezenas, ponha um pequeno círculo para guardar o lugar." Cf. Jacques C. Pisler, *La Civilisation Arabe* — Paris, 1955, pág. 151.

Os árabes colaboraram prodigiosamente para o progresso da Aritmética, da Álgebra, da Astronomia e inventaram a Trigonometria Plana e a Trigonometria Esférica.

Será muito difícil avaliar o que a nossa civilização deve aos árabes nos amplos domínios do progresso científico.

Os filósofos Federico Enriques e G. de Santilana, no livro

1. *Os que Vêm de Longe* — São Paulo, 1954.

Pequena História do Pensamento Científico (São Paulo, 1940) exaltam, sem exagero, mas com judiciosos argumentos, o papel notável que os árabes realizaram, para o engrandecimento moral e material da Humanidade.

Aos árabes devemos, acima de tudo, o advento da Renascença, no período histórico em que se realizou.

Vejamos o que dizem os sábios Santilana e Enriques:

> *"Se os árabes fossem bárbaros destruidores como o foram os mongóis, nossa Renascença teria sido, pelo menos, gravemente retardada. Mas os estudantes muçulmanos não hesitam ante longas e custosas pesquisas com o fito de consultar e colecionar os preciosos textos antigos."*

E já naquele tempo (1234), construíram os árabes uma Universidade:

> *"...verdadeira cidade dos estudos onde se provia de tudo às necessidades dos estudantes..."*

A primeira grande obra orientada dentro do pensamento democrático (e isso muita gente ignora) foi o Alcorão:

> *"Aceitavam o Alcorão, mas queriam que fosse lícito interpretá-lo de forma compatível com um sistema de pensamento puramente lógico. Os pontos sobre os quais se discutia podem parecer atualmente bagatelas, mas sob eles se escondiam problemas filosóficos de vasto alcance, como o da eternidade do mundo, da causalidade, do tempo, da razão suficiente."*

Enquanto, entre os cristãos, pontificavam os astrólogos e embusteiros, com suas charlatanices, entre os árabes os astrônomos pesquisavam o céu e procuravam descobrir as leis que regem os infinitos de Alá:

> *"Numa época em que do céu só vinham obscuros terrores e presságios, o único ponto do mundo em que o observavam com precisa intenção científica era o observatório de Al Batani ou o de Nassir Eddin."*

O povo árabe, não resta dúvida, pelo seu amor ao estudo das Ciências, especialmente da Matemática e da Astronomia, foi o povo que mais colaborou para o progresso moral e material da Humanidade.

Cf. José Augusto Sanchez Perez, *La Aritmética en Roma, India y en Arabia*, Madrid, 1949, pág. 96 e s.s. René Tatoton, *A Ciência Antiga e Medieval*, trad. de Ruy Fausto e Gita K. Ghinzerberg, São Paulo, 1959, pág. 21 e s.s. Pierre Dedron e Jean Itard, *Mathématiques et Mathématiciens*, Ed. Maynard. Paris. 1958, pág. 21.

Será interessante ler *Les Mathématiques Chez les Arabes*, no livro *Histoire des Mathématiques* (Paris, 1927, I vol., pág. 152), de Rouse Ball.

Especialmente sobre a obra de Al-Kharismi, convém ler: Aldo Mieli, *Panorma General de História de la Ciencia*, Buenos Aires, 1946, pág. 55 e s.s. Há outra obra de alto interesse para os professores: Francisco Vera, *La Matemática de los Musulmanos Espanoles*, Buenos Aires, 1947.

Elogio da Matemática

O sábio que se mostra orgulhoso e pedante revela que não sabe honrar a Ciência.

Dr. Alfredo Guimarães Chaves[1]

Vamos oferecer aos leitores alguns pensamentos, altamente elogiosos, sobre a Matemática:

A Matemática é a honra do espírito humano. — Leibniz.

Eis a Matemática — a criação mais original do engenho humano. — Whitehead.

Nota-se, entre os matemáticos, uma imaginação assombrosa... Repetimos: havia mais imaginação na cabeça de Arquimedes do que na de Homero. — Voltaire.

Não há ciência que fale das harmonias da Natureza com mais clareza do que a Matemática. — Paulo Carus.

Toda minha Física não passa de uma Geometria. — Descartes.

O mundo é cada vez mais dominado pela Matemática. — A. F. Rimbaud.

Toda educação científica que não se inicia com a Matemática é naturalmente imperfeita em sua base. — Augusto Comte.

A Matemática é a chave de ouro que abre todas as Ciências. — Duruy.

Sem a Matemática não nos seria possível compreender muitas passagens das Santas Escrituras. — Santo Agostinho.

1. Magistrado. Autor de vários trabalhos sobre Matemática.

Possui a Matemática uma força maravilhosa capaz de nos fazer compreender muitos mistérios de nossa Fé. — São Jerônimo.

Sem a Matemática não seria possível existir a Astronomia; sem os recursos prodigiosos da Astronomia seria impossível a Navegação. E a Navegação foi o fator máximo do progresso da Humanidade. — Amoroso Costa.

A Matemática não é uma ciência, mas a Ciência. — Felix Auerbach.

A escada da Sabedoria tem os degraus feitos de números. — Blavatsky.

Uma ciência natural é, apenas, uma ciência matemática. — Immanuel Kant.

Quem não conhece a Matemática morre sem conhecer a verdade científica. — Schelbach.

Deus é o grande geômetra. Deus geometriza sem cessar. — Platão.

As leis da Natureza nada mais são que pensamentos matemáticos de Deus. — Kepler.

A Matemática é a linguagem da precisão; é o vocabulário indispensável daquilo que conhecemos. — William F. White.

A Matemática é o mais maravilhoso instrumento criado pelo gênio do homem para a descoberta da Verdade. — Laisant.

Pela certeza indubitável de suas conclusões, constitui a Matemática o ideal da Ciência. — Bacon.

A Ciência, pelo caminho da exatidão, só tem dois olhos: a Matemática e a Lógica. — De Morgan.

A Matemática, de um modo geral, é fundamentalmente a ciência das coisas que são evidentes por si mesmas. — Felix Klein.

A Matemática é o instrumento indispensável para qualquer investigação física. — Berthelot.

A Matemática é uma ciência poderosa e bela; problemiza ao mesmo tempo a harmonia divina do Universo e a grandeza do espírito humano. — F. Gomes Teixeira.

A Matemática é aquela forma de inteligência com auxílio da qual trazemos os objetos do mundo dos fenômenos para o controle da concepção de quantidade. — G. H. Howisson.

Tudo aquilo que as maiores inteligências, ao longo dos séculos, têm realizado em relação à compreensão das formas, por meio de conceitos preciosos, está reunido numa grande ciência — a Matemática. — J. M. Herbart.

A Matemática é a mais simples, a mais perfeita e a mais antiga de todas as ciências. — Jacques Hadamard.

Considerações sobre os problemas propostos

Se bem que compreendamos que as soluções dadas pelo engenhoso Beremiz, o Homem que Calculava, terão sido suficientemente inteligíveis para a compreensão total de cada um dos problemas propostos ao longo desta obra e de suas correspondentes soluções, não é menos certo que estas foram alcançadas, na maioria dos casos, por métodos logísticos e dedutivos, embora nem por isso menos exatos.

Não obstante, para alguns dos problemas verificamos que faltava a solução rigorosamente matemática, ou seja, cingida ao frio cálculo numérico. Por isso, acreditamos ser necessário incluir neste Apêndice, e para cada um dos problemas propostos, certas considerações, e se em alguns dos casos somente se trate de comentários à solução oferecida, em outros são uma exposição ampla da solução matemática do problema, porém em todos eles serão uma ajuda, sem dúvida, para uma melhor interpretação das engenhosas soluções oferecidas pelo nosso amigo, o Homem que Calculava.

O Problema dos 35 Camelos

Felizes aqueles que se divertem com problemas que educam a alma e elevam o espírito.[1]

FENELON

Para o *problema dos 35 camelos* podemos apresentar uma explicação muito simples.

O total de 35 camelos, de acordo com o enunciado da história, deve ser repartido, pelos três herdeiros, do seguinte modo:

O *mais velho* deveria receber a *metade* da herança, isto é, 17 camelos e meio;

O *segundo* deveria receber *um terço* da herança, isto é, 11 camelos e dois terços;

O *terceiro*, o mais moço, deveria receber *um nono* da herança, isto é, 3 camelos e oito nonos.

Feita a partilha, de acordo com as determinações do testador, haveria uma *sobra*.

$$17\frac{1}{2} + 11\frac{2}{3} + 3\frac{8}{9} - 33\frac{1}{18}$$

Observe que a soma das três partes não é igual a 35, mas sim a

$$33\frac{1}{18}$$

Há, portanto, uma *sobra*.

Essa sobra seria de um camelo e $\frac{17}{18}$ de camelo.

A fração $\frac{17}{18}$ exprime a soma $\frac{1}{2}+\frac{1}{3}+\frac{1}{9}$, frações que representam as pequenas sobras.

1. Cf. Etchgoyen, *El Pensamiento Matemático*, Buenos Aires, 1950, pág. 33.

Aumentando-se de $\frac{1}{2}$ a parte do primeiro herdeiro, este passaria a receber a conta certa de 18 camelos; aumentando-se de $\frac{1}{3}$ a parte do segundo herdeiro, este passaria a receber um número exato de 12; aumentando-se de $\frac{1}{9}$ a parte do terceiro herdeiro, este receberia quatro camelos (número exato). Observe, porém, que, consumidas com este aumento as três pequenas sobras, ainda há um camelo fora da partilha.

Como fazer o *aumento* das partes de cada herdeiro?

Esse *aumento* foi feito, admitindo-se que o total não era de 35, mas de 36 camelos (com o acréscimo de 1 ao dividendo).

Mas, sendo o dividendo 36, a sobra passaria a ser de *dois* camelos.

Tudo resultou, em resumo, do fato seguinte:

Houve um erro do testador.

A *metade* de um *todo*, mais a *terça parte* desse *todo*, mais *um nono* desse *todo*, não é igual ao *todo*. Veja bem:

$$\frac{1}{2}+\frac{1}{3}+\frac{1}{9}=\frac{17}{18}$$

Para completar o *todo*, falta, ainda, $\frac{1}{18}$ desse *todo*.

O *todo*, no caso, é a herança dos 35 camelos.

$\frac{1}{18}$ de 35 é igual a $\frac{35}{18}$.

A fração $\frac{35}{18}$ é igual a $1\frac{17}{18}$.

Conclusão: feita a partilha, de acordo com o testador, ainda haveria uma sobra de $1\frac{17}{18}$.

Beremiz, com o artifício empregado, distribuiu os $\frac{17}{18}$ pelos três herdeiros (aumentando a parte de cada um) e ficou com a parte inteira da fração excedente.

Em alguns autores encontramos um problema curioso, de origem folclórica, no qual o total de camelos é 17 e não 35. Esse problema dos 17 camelos pode ser lido em centenas de livros de Recreações Matemáticas.

Para o total de 17 camelos a divisão é feita por meio de um artifício idêntico (o acréscimo de um camelo à herança do xeque), mas a sobra é só do camelo que foi acrescentado. No caso do total de 35, como ocorreu no episódio com Beremiz, o desfecho é mais interessante, pois o calculista obtém um pequeno lucro com a sua habilidade.

Se o total fosse de 53 camelos, a divisão da herança, feita do mesmo modo, aplicado o artifício, daria uma sobra de 3 camelos.

Eis os números que poderiam servir: 17, 35, 53, 71 etc.

Para o caso dos 17 camelos, leia: E. Fourrey, *Récréations Mathématiques*, Paris, 1949, pág. 159. Gaston Boucheny, *Curiosités et Récréations Mathématiques*, Paris, 1939, pág. 148.

O Problema do Joalheiro

É preciso que o professor se esforce no sentido de dar um caráter concreto aos problemas que apresenta aos estudantes.[2]

A. Huisman

A dificuldade do problema tem sua origem na seguinte particularidade, que pode ser facilmente compreendida:

— Não se verifica proporcionalidade entre o preço cobrado

2. Cf. A. Huisman, *Le Fil D'Ariane*, Ed. Wesmael-Charlier, Paris, 1959, pág. 3. Observa Huisman, no Avant-Propos de sua obra, que se faz necessária uma transformação radical no ensino da Matemática. Até por suas aplicações, nos exercícios que figuram nos compêndios didáticos, a Matemática aparece distorcida, fora da vida real. No Brasil já assinalamos, da parte de muitos professores, essa preocupação de modernizar a Didática da Matemática. O Prof. Manuel Jairo Bezerra é, sem dúvida, um dos grandes paladinos dessa campanha renovadora. Sem o recurso do Laboratório — assegura o Prof. Jairo — o ensino da Matemática é defeituoso, deficiente e obsoleto. Cf. Manuel Jairo Bezerra, *Didática da Matemática*. Exemplos curiosos podem ser colhidos no livro do Prof. Carlos Galante, *Matemática, Primeira Série*, 8ª ed.

pela hospedagem e a quantia pela qual as joias seriam vendidas.

Vejamos:

Se o joalheiro vendesse as joias por 100, pagaria 20 pela hospedagem; se vendesse a sua mercadoria por 200, deveria pagar 40, e não 35 pela hospedagem.

Não se verifica, portanto, como seria racional, proporcionalidade entre os elementos do problema.

O certo seria:

Para 100 (de venda)....................hospedagem 20
Para 200 (de venda)....................hospedagem 40

A combinação entre os interessados, porém, foi outra:

Para 100 (de venda)....................hospedagem 20
Para 200 (de venda)....................hospedagem 35

Admitida esta última relação de valores, impõe-se, no caso, para o cálculo da hospedagem, sendo a venda 140, um problema que os matemáticos denominam de *interpolação.*

O Problema dos Quatro Quatros

De que irei me ocupar no céu, durante toda a Eternidade, se não me derem uma infinidade de problemas de Matemática para resolver?[3]

AUGUSTIN LOUIS CAUCHY

3. Ver Premier Congrès International de Récréation Mathématique, Bruxelas, 1935, pág. 26. Artigo de Vatriquant.

O problema dos *quatro quatros* é o seguinte:

> *"Escrever, com quatro quatros e sinais matemáticos, uma expressão que seja igual a um número inteiro dado. Na expressão não pode figurar (além dos quatro quatros) nenhum algarismo ou letra ou símbolo algébrico que envolva letra, tais como: log., lim. etc."*

Afirmam os pacientes calculistas que é possível escrever, com quatro quatros, todos os números inteiros, desde 0 até 100.

Será necessário, em certos casos, recorrer ao sinal de fatorial (!) e ao sinal de raiz quadrada.

A raiz cúbica não pode ser empregada, por causa do índice 3.

Nota: Chama-se *fatorial* de um número ao produto dos números naturais desde 1 até esse número.

O fatorial de 4, representado pela notação 4! é igual ao produto 1 × 2 × 3 × 4, ou 24.

Com auxílio do fatorial de quatro escrevo facilmente a expressão:

$$4! + 4! + \frac{4}{4}$$

cujo resultado é 49, pois a expressão é equivalente a 24 + 24 + 1.

Veja, agora, a expressão:

$$4! \times 4! + \frac{4}{4}$$

cujo valor é 97.

Em artigo publicado no *Jornal de Ciências* (maio de 1954), o Sr. Comte. Francisco José Starezione Madruga apresenta várias soluções interessantes. Algumas, porém, não são legítimas, pois o solucionista recorre à abreviatura *lim* e a certas notações não adotadas nos livros usuais.

W. J. Reichmann, em seu livro *La Fascination des Nombres* (Paris, 1959), refere-se ao problema dos quatro quatros que ele aponta como um velhíssimo problema.

Para alguns números as formas apresentadas pelo matemático inglês são pouco econômicas.

Assim, para o número 24, a solução de Reichmann iria exigir duas raízes quadradas, uma divisão e uma adição.

Para o número 24 podemos indicar uma solução mais simples com auxílio da notação de fatorial:

$$4! \times 4!(4 - 4)$$

Do número 24 será fácil passar para o 25:

$$25 = 4! + 4^{4-4}$$

expressão essa de rara beleza, na qual aparece o expoente zero. Sabemos que toda qualidade elevada a zero é igual a 1. Logo, a segunda parcela da expressão é 1.

O número 26 seria apresentado sob uma forma bastante simples:

$$26 - 4! + \frac{4 + 4}{4}$$

O Problema dos 21 Vasos

A curiosidade constante pela resolução de novos problemas é atributo seguro do homem altamente inteligente.

Dr. José Reis[4]

Admite esse problema uma segunda solução, que seria a seguinte:

O 1º sócio receberá: 1 vaso cheio, 5 meio cheios e 1 vazio.

O 2º sócio receberá: 3 vasos cheios, 1 meio cheio e 3 vazios.

Ao 3º sócio caberia a mesma cota que foi concedida ao 2º, isto é, 3 vasos cheios, 1 meio cheio e 3 vazios.

Trata-se de um problema que pode ser resolvido aritmeticamente. Cf. E. Fourrey, *Récréations Aritmétiques*. Paris, 1949, pág. 160.

No livro do Dr. Jules Regnault, *Les Calculateurs Prodiges* (Paris, 1952, pág. 421), encontramos um problema semelhante:

Dividir 24 vasos por três pessoas, sendo 5 cheios, 8 vazios e 11 meio cheios.

A resolução não oferece dificuldade.

Sob o título *Un Partage Difficile* (Uma Partilha Difícil), encontramos em Claude-Marcel Laurent, *Problemes Amusants*, Paris, 1948, pág. 42, o seguinte problema:

"Um mercador tem um vaso com 24 litros de vinho. Quer repartir esse vinho por três sócios, em três partes iguais, com 8 litros cada uma. O mercador só dispõe de três vasilhas vazias cujas capacidades são, respectivamente: 13 litros, 11 litros e

4. Homem de ciência (médico), jornalista e professor.

5 litros. Usando essas três vasilhas, como poderá ele dividir o vinho em 3 porções de 8 litros cada uma?"

Trata-se de um problema de outro gênero, mas muito fácil. A solução é obtida em *nove tempos.*

O Número π

Muitos e muitos poetas, na Antiguidade, exaltaram o número. Pois o número é de essência divina.[5]

M. A. Aubry

O número π, que é um dos mais famosos em todos os quadrantes da Matemática, já era conhecido, e a constância de seu valor já tinha sido percebida pelos geômetras da Antiguidade.

Tudo nos leva a afirmar, conforme podemos inferir de duas citações bíblicas, bem claras, que os judeus primitivos atribuíram ao número π um valor inteiro igual a 3. No *Livro dos Reis* podemos ler, realmente, esta curiosa indicação:

"Fez também o mar de fundição redondo de dez côvados de uma borda à outra borda e de cinco de alto; um fio de trinta côvados era a medida de sua circunferência."

Esse mar de fundição, esclarece o exegeta, não passava, afinal, de pequeno poço (de acordo com o costume egípcio), onde os padres se banhavam. Tendo o tal poço redondo trinta côvados de roda, o seu diâmetro (medido de uma borda à outra) era de 10 côvados. A conclusão é bem clara. A relação

5. Os versos de Aubry, aqui citados, figuram, com destaque, no frontispício do livro de Victor Thebault, *Les Récréations Mathématiques*, Paris, 1952.

entre a circunferência (30) e o diâmetro (10) é exatamente 3. É esse o valor de π, revelado pela Bíblia.[6]

No Papiro Rhind, que é um dos documentos mais antigos da História da Matemática, encontramos um curioso processo de cálculo da circunferência *C*, quando conhecemos o diâmetro *D* dessa circunferência. Das indicações expressas no Papiro, inferimos que os geômetras egípcios, 4.000 antes de Cristo, atribuíam ao número π um valor equivalente ao quadrado da fração

$$\frac{16}{9}$$

que daria, em número decimal, 3,1605 — valor no qual p apresenta um erro que não chega a 2 centésimos de unidade.

Arquimedes, já no século III a.C., provou que o número famoso deveria estar compreendido entre as frações:

$$3\frac{1}{7} \text{ e } 3\frac{10}{71}$$

Bháskara, geômetra indiano, admitia para o número π um valor expresso pelo número $3\frac{17}{120}$ que equivalia ao número decimal 3,1416.

Ao matemático holandês Adrian Anthonisz, apelidado Metius[7] (1527-1607), os historiadores atribuem o valor $\frac{355}{113}$ para o número π, que foi de largo emprego durante os séculos XVI e XVII.

O alemão Johann Heinrich Lambert (1728-1777) teve a paciência de obter para o valor de π uma fração ordinária cujo numerador tinha dezesseis algarismos e o denominador,

6. Seguimos fielmente a tradução católica do padre Antonio Pereira de Figueiredo, com as anotações do Revmo. Santos Farinha. Lisboa, 1902.

7. Esse matemático, sendo natural da cidade de Metz, tomou como pseudônimo Adrian Metius.

quinze. Cf. *Scripta Mathematica*, 1944, vol. X, pág. 148.

Para a fixação de um valor aproximado de π (em número decimal), por meio de um artifício mnemônico, há várias frases.

O matemático francês Maurice Decerf, grande pesquisador de curiosidades, escreveu um pequeno poema, no qual cada palavra, pelo número de letras que encerra, corresponde a um algarismo do número π (em decimal).

Vamos indicar os dois primeiros versos desse poema:

"Que j'aime à faire connaître un nombre utile aux
sages Glorieux Archimède artiste ingenieux."

Poderá o leitor contar, a partir do "*que*" inicial, o número de letras de cada palavra e obterá (para cada palavra) um algarismo da parte de π:

3, 14 159 265 358 979

O curioso poema de Decerf, aproveitado na íntegra, dará o valor de π com 126 casas decimais. Mas nessas 126 primeiras casas decimais de π aparecem onze zeros. Cada zero o engenhoso poeta representou por meio de uma palavra de dez letras.

Há, ainda, para o valor de π, frases mnemônicas em espanhol, em alemão e em inglês. Veja *Matemática Divertida e Delirante* (Ed. Saraiva), pág. 88.

A frase em português mais simples e interessante é a seguinte:

Sou o medo e temor constante do menino vadio.

Atualmente, graças aos computadores eletrônicos, o valor de π é conhecido com mais de oito milhões de casas decimais (*Scientific American*, fevereiro de 1983, p. 61).

Não pertence o número π ao conjunto dos números racionais. Figura entre os números que os analistas denominam de números *transcendentes.*

Eis uma série famosa, devida a Leibniz, que é igual a um quarto de π:

$$1-\frac{1}{3}+\frac{1}{5}-\frac{1}{7}+\frac{1}{9}-\frac{1}{11}+\ldots$$

O número de termos, nessa série, é infinito e os termos são alternadamente positivos e negativos.[8]

Os leitores encontrarão, no livro *Matemática Divertida e Delirante,* Ed. Saraiva, São Paulo, 1962, pág. 83, muitas curiosidades e anedotas sobre o número π.

Nota — Do livro *Les Mathématiques et l'Imagination* (Ed. Payot, Paris, 1950, pág. 59), dos matemáticos Edward Kasner e James Newman, copiamos o seguinte trecho:

> *Com o recurso das séries convergentes Abraham Sharp, em 1669, calculou π com 71 decimais. Dase, calculista rápido como um relâmpago, orientado por Gauss, calculou, em 1824, o número π com 200 decimais. Em 1854 o alemão Richter achou 500 decimais para o número π e Shanks, algebrista inglês, implantou-se na imortalidade dos geômetras determinando o número π com 707 casas decimais.*

Em nota incluída em seu livro, o matemático francês F. Le Lionnais vem mutilar e obscurecer impiedosamente a glória do calculista Shanks. Escreveu Le Lionnais:

8. Ver as interessantes observações de Leon Brünschireg, *Las Etapas de la Filosofía Matemática,* Buenos Aires, 1945, página 564. Destaquemos ainda um estudo do Prof. Luiz Gonzaga de Souza Lapa, subordinado ao título: *Aplicação da fórmula de Euler e da Série de Leibniz ao estudo do número pi,* Teresina, 1954.

Verificou-se, mais tarde, que o cálculo de Shanks, a partir da 528ª casa, está errado.

O Problema do Jogo de Xadrez

Aquele que deseja estudar ou exercer a Magia deve cultivar a Matemática.[9]

MATILA GHYKA

É esse, sem dúvida, um dos problemas mais famosos nos largos domínios da Matemática Recreativa. O número total de grãos de trigo, de acordo com a promessa do rei Iadava, será expresso pela soma dos sessenta e quatro primeiros termos da progressão geométrica:

$$:: 1 : 2 : 4 : 8 : 16 : 32 : 64$$

A soma dos 64 primeiros termos dessa progressão é obtida por meio de uma fórmula muito simples, estudada em Matemática Elementar.[10]

Aplicada a fórmula obtemos para o valor da soma S:

$$S = 2^{64} - 1$$

Para obter o resultado final devemos elevar o número 2 à sexagésima quarta potência, isto é, multiplicar 2x2x2x... tendo esse produto sessenta e quatro fatores iguais a 2. Depois do trabalhoso cálculo chegamos ao seguinte resultado:

9. Esse pensamento famoso poderá ser lido no livro de Matila Ghyka, *Philosophie et Mystique des Nombres*, Col. Payot, Paris, 1952, pág. 87.

10. Cf. Thiré e Mello e Souza, *Matemática*, 4ª série.

$$S = 18\ 446\ 744\ 073\ 709\ 551\ 616 - 1$$

Resta, agora, efetuar essa subtração. Da tal potência de dois tirar 1. E obtemos o resultado final:

$$S = 18\ 446\ 744\ 073\ 709\ 551\ 615$$

Esse número gigantesco, de vinte algarismos, exprime o total de grãos de trigo que impensadamente o lendário rei Iadava prometeu, em má hora, ao não menos lendário Lahur Sessa, inventor do jogo de xadrez.

Feito o cálculo aproximado para o volume astronômico dessa massa de trigo, afirmam os calculistas que a Terra inteira, sendo semeada de norte a sul, com uma colheita, por ano, só poderia produzir a quantidade de trigo que exprimia a dívida do rei, no fim de 450 séculos![11]

O matemático francês Etienne Ducret incluiu em seu livro, bordando-os com alguns comentários, os cálculos feitos pelo famoso matemático inglês John Wallis, para exprimir o volume da colossal massa de trigo que o rei da Índia prometeu ao astucioso inventor do jogo de xadrez. De acordo com Wallis, o trigo poderia encher um cubo que tivesse 9.400 metros de aresta. Essa respeitável massa de trigo deveria custar (naquele tempo) ao monarca indiano um total de libras que seria expresso pelo número:

$$855\ 056\ 260\ 444\ 220$$

É preciso atentar para essa quantia astronômica. Mais de 855 trilhões de libras.[12]

11. Cf. Robert Tocquet, *Les Calculateurs Prodiges et leurs Secrets*, Ed. Pierre Amiot, Paris, 1959, pág. 164.

12. Cf. Etienne Tucret, *Récréations Mathématiques*, Paris, s.d., pág. 87. Convém ler, também: Ighersi, *Matemática Dillettevola e Curiosa*, Milão, 1912, pág. 80.

Se fôssemos, por simples passatempo, contar os grãos de trigo do monte S à razão de 5 por segundo, trabalhando dia e noite sem parar, gastaríamos, nessa contagem, 1.170 milhões de séculos! Vamos repetir: mil cento e setenta milhões de séculos![13]

De acordo com a narrativa de Beremiz, o Homem que Calculava, o imaginoso Lahur Sessa, o inventor, declarou publicamente que abria mão da promessa do rei, livrando, assim, o monarca indiano do gravíssimo compromisso. Para pagar pequena parte da dívida, o soberano teria que entregar ao novo credor o seu tesouro, as suas alfaias, as suas terras e seus escravos. Ficaria reduzido à mais absoluta miséria. Em situação social, ficaria abaixo de um sudra.

O Problema das Abelhas

Com abelhas ou sem abelhas, os problemas interessantes da Matemática têm, para o pesquisador, a doçura do mel.

Ary Quintela[14]

O problema citado por Beremiz, e que se apresenta (sob forma tão poética) no livro *Lilaváti*, do geômetra indiano Bháskara, pode ser resolvido com auxílio de uma equação do 1.º grau.

Sendo x o número de abelhas, temos:

$$\frac{x}{5} + \frac{x}{3} + 3\left(\frac{x}{3} - \frac{x}{5}\right) + 1 = x$$

13. Cf. Tocquet, op. cit.

14. Matemático brasileiro de grande prestígio. Professor do Colégio Militar e do Instituto de Educação do antigo Estado da Guanabara. É autor de vários livros que obtiveram larga divulgação no Brasil.

Essa equação admite uma raiz, que é 15. Esse número exprime a solução do problema. A notação algébrica, no tempo de Bháskara, era inteiramente diferente.

Os leitores encontrarão estudo interessante sobre a Matemática de Bháskara em Leon Delbos, *Les Mathématiques Orientales*, Ed. Gauthier Villars, Paris, 1892.

O episódio de *Lilaváti e a pérola*, os leitores poderão lê-lo no livro do Prof. José Augusto Sanchez Peres, *La Aritmética en Roma, en Indya y en Arabia*, Madrid, 1949, pág. 71 e s.s.

Encontramos em Boucheny um problema intitulado *O Enxame de Abelhas*, que parece ter sido decalcado da obra de Bháskara. Cf. Gaston Boucheny, *Curiosités et Récréations Mathématiques*, Lib. Larousse, Paris, 1939, pág. 66. Para um estudo sobre a obra de Bháskara, indicamos René Taton, *História Geral das Ciências*, III vol., A Idade Média, pág. 61. Escreveu Taton: Bháskara, muito importante como matemático e astrônomo, nascido em 1114, concluiu em 1150 a elaboração de *Sidantasi romanai*, "A Joia da Cabeça das Soluções". Esta obra divide-se em quatro partes. As duas primeiras são matemáticas. Elas são, respectivamente, intituladas: *Lilaváti, a Jogadora* (isto é: Recreações Matemáticas) e a *Bijagantima* (Cálculo para Correções).

O Problema dos Três Marinheiros

> *Um bom ensino de Matemática forma melhores hábitos de pensamento e habilita o indivíduo a usar melhor a sua inteligência.*[15]
>
> IRENE DE ALBUQUERQUE

15. Do livro *Jogos e Recreações Matemáticas*, I vol., 3.ª ed., pág. 20. A professora Irene de Albuquerque, catedrática do Instituto de Educação do antigo Estado da Guanabara, é uma das figuras de maior realce em nosso magistério.

Esse problema, nos livros em que são estudadas as Recreações Matemáticas, é apresentado de várias maneiras, ou melhor, com diferentes enredos.

Com os recursos da Álgebra podemos resolvê-lo de um modo geral, e indicar a fórmula final para o cálculo da incógnita.

Designando por x o número das moedas, a solução seria:

$$x = 81k - 2$$

na qual o parâmetro *k* pode receber um valor qualquer (número natural) 1, 2, 3, 4, 5, 6, 7, ...

Os valores de *x* serão, respectivamente:

79, 160, 241, 322, 403, 484, ...

Qualquer termo dessa progressão poderá servir para o total das moedas no problema dos três marinheiros. É preciso, portanto, limitar o valor de *x*.

Havendo no enunciado a afirmação de que o número de moedas é superior a 200, e que não chegava a 300, o Homem que Calculava adotou o valor 241, que era o único que servia para o caso.

O Problema do Número Quadripartido

Os números desempenharam sempre um papel de acentuado relevo não só nos altos campos da Fé e da Verdade, como nos humílimos terreiros da Superstição e do Erro.

Dr. Antônio Gabriel Marão[16]

16. Magistrado paulista de grande cultura. Professor de Matemática e conferencista. A frase citada, de grande conteúdo filosófico, foi proferida durante uma conferência em Botucatu (São Paulo).

O chamado problema do *número quadripartido* é encontrado em muitos livros didáticos. São problemas de natureza puramente algébrica, que só deveriam ser incluídos na *Aritmética Recreativa*.

Em seu enunciado mais simples, o problema seria o seguinte:

"Dividir um número dado *A* em quatro partes tais que a 1ª aumentada de *m*, a 2ª diminuída de *m*, a 3ª multiplicada por *m* e a 4ª dividida por *m* deem o mesmo resultado."

Dois são os elementos fundamentais do problema:

1º) O número *A* que deve ser quadripartido;

2º) O operador *m*.

Com os recursos da Álgebra Elementar será fácil resolver, de modo geral, o problema.

A terceira parte (Z) do número *A* (aquela que deve ser multiplicada por *m*) pode ser obtida facilmente por meio da fórmula

$$z = \frac{A}{(m+1)^2}$$

Obtido o valor de *z* podemos obter facilmente as outras três partes do número *A*:

A 1ª parte será: mz – m

A 2ª parte será: mz + m

A 4ª parte será: mz x m

O problema só é possível quando *A* (número dado) é divisível por m + 1 ao quadrado. Deve ser, pelo menos, igual ao dobro de m + 1 ao quadrado.

O Problema da Metade do "X" da Vida

> *Dois são os adjetivos que, segundo Poincaré, caracterizam o raciocínio matemático: rigoroso e fecundo.*[17]
>
> LOUIS JOHANNOT

O Matemático diria que a vida do condenado deveria ser dividida em uma infinidade de períodos de tempos iguais, sendo esses períodos, portanto, infinitamente pequenos.

Cada período de tempo seria um *dt*. O tempo *dt* é muito menor do que a décima milionésima parte do milionésimo de um segundo!

Do ponto de vista da Análise Matemática, o problema não tem solução. A única fórmula, a mais humana e mais de acordo com o espírito de Justiça e de Bondade, foi a *fórmula* sugerida por Beremiz.

Sobre o conceito do infinitamente pequeno, convém ler: P. Sergusur, *Les Recherches sur l'Infini Mathématique*, Paris, 1949; Manuel Balazant, *Introdución a la Matemática Moderna*, Buenos Aires, 1946.

O Problema das Pérolas do Rajá

> *O raciocínio matemático tem por base certos princípios que são exatos e infalíveis.*
>
> JOHN ADAMS[18]

17. Este pensamento encontra-se no livro *Le Raisonement Mathemátique de l'Adolescent*, de Louis Johannot. Essa obra tem prefácio de Jean Piaget.

18. John Adams, matemático e astrônomo inglês (1819-1892). A frase citada está em Moritz, *Memorabilia*, 126.

O problema pode ser facilmente resolvido com auxílio da Álgebra Elementar. O número x de pérolas é dado pela fórmula:

$$x = (n - 1)^2$$

E, nesse caso, a primeira herdeira retiraria, da herança, uma pérola e $\frac{1}{n}$ do que restasse; a segunda herdeira retiraria duas pérolas e $\frac{1}{n}$ do que restasse. E assim por diante.

O número de herdeiros é n – 1.

Beremiz resolveu o problema para o caso em que n era igual a 7.

O Número 142.857

Os números governam o mundo.

PITÁGORAS

Esse número 142.857 nada tem de cabalístico, nem de misterioso. É obtido quando convertemos a fração 1/7 em número decimal. Eis como é fácil verificar:

$$\frac{1}{7} = 0{,}142\ 857\ 142\ 857...$$

Trata-se de uma dízima periódica simples, cujo período é 142 857.

Poderíamos obter outros números, igualmente *cabalísticos*, convertendo, em dízimas periódicas simples, as frações ordinárias:

$$\frac{1}{13}, \frac{1}{17}, \frac{1}{31}, \text{etc.}$$

Para um estudo completo desse problema, indicamos: Mello e Souza, *Diabruras da Matemática*, Ed. Saraiva, 2ª ed., pág. 189 e s.s.; E. Fourrei, *Récréations Arithmétiques*, Lib. Viubert, Paris, 1947, pág. 14; Sanuel I. Jones, *Mathematical Clubs and Recreations*, Tenn., U.S.A., 1940, pág. 121; A. Bruneau, *Imitations et Curiosités Mathématiques*, Paris, 1939, pág. 83.

O Problema de Diofante

> *O epitáfio de Newton, na Abadia de Westminster (em Londres) é a fórmula que exprime o binômio a + b elevado à potência m. A maior glória de Newton foi ter, sobre seu túmulo, uma fórmula algébrica.*
>
> Chafi Haddad[19]

O chamado Problema de Diofante, ou Epitáfio de Diofante, pode ser resolvido facilmente com auxílio de uma equação do 1.º grau com uma incógnita.

Designando por x a idade de Diofante, podemos escrever:

$$\frac{x}{6}+\frac{x}{12}+\frac{x}{7}+5+\frac{x}{2}+4=x$$

Resolvendo essa equação, achamos x = 84. É essa a solução do problema.

19. Matemático brasileiro. Catedrático da Faculdade Nacional de Arquitetura. É autor de vários trabalhos.

Glossário

das principais palavras, expressões, alegorias etc. de origem árabe, persa ou hindu, citadas neste livro.

Deixamos de incluir, neste Glossário, os verbetes de muitas palavras, cujos respectivos significados já foram dados em notas ao pé da página. Essas palavras serão seguidas de dois números: o primeiro indica o capítulo e o segundo a nota em que o significado é esclarecido.

A

Abás — 17, 1.

Adjamis — 14, 2.

Alcorão — Livro sagrado dos muçulmanos, cujo conteúdo foi revelado a Maomé, pelo Arcanjo Gabriel. De acordo com a Filosofia Dogmática do Islã, o Alcorão é obra exclusiva de Alá e sempre existiu, isto é, o Livro Sagrado figura entre as coisas incriadas.

Alá — Deus. Admite-se que o vocábulo Alá tenha se originado da voz Huu-u, que seria o ruído das tempestades. O vocábulo em apreço já era usual entre os árabes em período que remonta ao V Antesséculo. O Deus dos muçulmanos é o mesmo Deus dos judeus e o mesmo Deus dos cristãos.

Alá Badique, Iá Sidi — 13, 2.

Alá Sobre Ti — 5, 3.

Allahur Akbar — 25, 2.

Al-Latif — 33, 1.
Almenara — 5, 5.
Al- Schira — 17, 6.
Al-Uahhad — 29, 4.
Al-Vequil — 12, 5.
Amine — 24, 2.
Ars — 12, 1. *Ver também* Preces.
Asrail — 11, 8.
Ayn — 6, 4.

B

Bagdá — Capital do Iraque, situada à margem do Rio Tigre. Foi a capital dos califas abássidas, sendo a sua construção atribuída a Al-Mansur, avô de Harum-al-Raschid (745-786). Foi destruída e saqueada em 1258.

Bagdadi ou **Bagdali** — Indivíduo natural de Bagdá.

Beduíno — De Bedui ou Beduin, o que é relativo à **Badaua**, vida primitiva; vida ao ar livre e em habitações que possam ser facilmente transportadas. Denominação dada, em geral, aos árabes nômades que vivem na África Setentrional, na Arábia e na Síria.

C

Caaba — Famoso templo na cidade de Meca, considerado como o primeiro edifício construído para adoração de Alá. Literalmente significa o cubo, pois a pedra, objeto de veneração entre os muçulmanos, é da forma de um hexaedro. Acreditam os árabes que essa pedra caiu do céu. (R. B.)

Cádi — Juiz. Aquele que julga. Os cádis eram escolhidos pelos califas e, de suas sentenças, em certos casos, não havia apelação alguma.

Cairota — Indivíduo natural do Cairo.

Califa — Título concedido ao chefe de Estado (muçulmano) que se julgava descendente de Maomé. O califa exercia o poder civil e religioso.

Califado — 2, 4.

Caminhos de Alá — 6, 3.

Caravançará — 3, 1.

Cate — 17, 1.

Catil — 19, 2.

Ceira — 16, 12.

Chá-band — 16, 15.

Chamir — Chefe da caravana. Há também as formas **khebir**, **menir** e **delil**. **Khebir** vem do verbo **Khebeur**, que deveria significar "aquele que dá aviso". **Menir** vem do verbo **nar**, "que ilumina". **Delil** vem do verbo **deull**, que daria, em sua tradução, "aquele que mostra", "aquele que esclarece o caminho".

Cidade Santa — Meca.

Com Ele a Paz e a Glória — Essa expressão é proferida por um muçulmano para honrar o nome de uma pessoa, já falecida, por ele citada. É preciso, porém, que essa pessoa (pessoa citada) tenha sido um justo, um homem digno e possa ser incluído entre os eleitos de Deus.

Comendador dos Crentes — 4, 4.

Côvado — 12, 2.

D

Daroês — Espécie de monge muçulmano. O mesmo que dervixe. Na Índia tem o nome de faquir. Vive, em geral, como mendicante.

Délhi — Cidade da Índia.

Dhanoutara — 16, 5.

Divã — Salão de honra do palácio especialmente destinado às audiências do rei.

Djaciliana — Escrava de origem espanhola.

Djim — Melhor seria: **jino**. Termo da mitologia árabe. Espírito, ente, anjo ou demônio. Indivíduo que não pode ser visto. Espírito que inspira os poetas. Gênio.

E

Efrite — 17, 4.

El-Hadj — Título honroso concedido a muçulmano que fez a peregrinação a Meca. Veja na Dedicatória deste livro que o nome de Malba Tahan está precedido do título **el-hadj**.

El-Hilleh — Pequena povoação na estrada entre Bagdá e Báçora.

Emir — Comendador, chefe supremo, o maior na arte, na poesia, ou na política; descendente de dinastia real e nobre.

Emir dos Árabes — O mesmo que Emir dos Crentes.

Emir dos Crentes — Título honroso, concedido aos califas. Usado primeiramente pelo califa Abu-Baker, o sucessor do Profeta Maomé.

F

Fatihat — Primeira surata do Alcorão.

Filha de meu tio — Denominação dada por um árabe à própria esposa. O sogro (pai da esposa) é o **tio**. Expressão familiar e carinhosa.

Flor do Islã — Criatura delicada, meiga e formosa. Beleza fora do comum.

Fustan — Espécie de vestido que cobre o corpo todo. Traje feminino.

G

Garopeiro — 10, 1.

Grão-vizir — Termo estatal; designa o chefe do gabinete ou o primeiro-ministro, entre os árabes e nos países islâmicos de civilização árabe, criadora dessa função política, ainda em vigor em nosso tempo.

Guci — Ablução que precede a prece.

H

Hadiths — Melhor seria **hadices**, denominação dada a certas frases de elevada moral, mantidas pela tradição e que encerram ensinamentos atribuídos a Maomé ou aos companheiros do Profeta, que desfrutavam de merecido prestígio e autoridade em assuntos relativos à doutrina islâmica.

Hai al el-Salah — 12, 6.

Haic — 9, 8.

Hamã ou **Hamma** — 29, 2.

Haquim — Médico.

Haquim Oio-Ien — Oculista.

Hena — Tinta que as mulheres usam para pintar as unhas.

I

Iallah — 8, 9; 17, 7.

Ibn — São duas as formas, **Ibn** e **Ben**. A primeira, **Ibn**, corresponde, de certo modo, ao **ben** dos hebreus. Assim, Nahum Ibn Nahum significaria **Nahum filho de Nahum**. É interessante observar que, pelo nome que figura na Dedicatória deste livro, Malba Tahan é bisneto de um certo Salim Hank.

Iclímia — 14, 2.

Iemenita — Indivíduo natural do Iêmen.

Imã — 17, 5.

Inch'Allah — 9, 8.

Irã — Nome pelo qual era conhecida a Pérsia, ou uma grande parte da Pérsia.

Irmão dos Árabes — Bom amigo. Excelente companheiro. Tratamento carinhoso. Não pode ser aplicado senão a um crente (islamita).

Islã — Esse termo é empregado em três sentidos: a) **Islã**, denominação dada à religião fundada por Maomé, em 622. Essa religião é denominada "muçulmana" (veja esse termo); b) **Islã**, conjunto de países que adotam a religião muçulmana; c) **Islã**, cultura, civilização árabe, de modo geral. A forma **Islã** é derivada do árabe **assa-lã**, que significa paz, harmonia, confraternização. **Islã** exprime, afinal, resignação à vontade de Deus.

Islamita — Crente do Islã. O mesmo que muçulmano. A forma "maometano", aplicada a um islamita, é considerada pejorativa. O muçulmano não é um maometano, mas sim um crente de Alá, um islamita. Maomé foi, apenas, o profeta de Alá.

J

Jamal — 3, 2.

K

Kaf — 6, 4.

Kelimet-Uallah — 6, 6; 14, 9.

Khebir — Título oferecido ao chefe de uma caravana. Melhor seria Khabir.

Khoi — Pequena aldeia da Pérsia. Está situada no Vale do Ararat. Todas as indicações geográficas, no Capítulo II, referentes à origem de Beremiz Samir, são rigorosamente certas.

Khol — Tinta para os olhos.

Kif — Melhor seria **quife**. Produto tirado do cânhamo, que os árabes usam como fumo. É um fumo que embriaga.

Kif El-Solha — Como passa de saúde?

L

Laore — Melhor seria Lahore. Província ou cidade da Índia.

Leilá — Nome feminino. Significa formosa, embriaguez dos poetas. Há as formas Laila e Leilah.

Livro da Lei — Alcorão. O mesmo que Livro de Allah. Livro de Allah — Trata-se do Alcorão. Refere-se ao **Livro de Deus. Livro Nobre** ou **Livro da Lei.**

M

Mabid — 25, 4.

Mach-Allah — 4, 6.

Mahzma — 14, 5.

Maktub — 9, 5.

Marabu — Lugar onde é venerada a memória de um vulto de renome no Islã. Os muçulmanos ortodoxos sempre combatem o chamado **marabuzismo** (preocupação de conferir a certos mortos o poder de realizar milagres).

Maraçã — 12, 3.

Men Ein — 23, 1.

Minarete — 5, 5.

Mirza — 6, 11.

Moalakat — Antes do Islamismo era costume, entre os árabes, promoverem torneios literários, especialmente de Poesia. Muitos poetas participavam desses torneios de beleza e fantasia. Quando o poema de certo poeta era, de público, apontado como obra digna de admiração, não só pela forma, como pelas imagens, esse poema era escrito em letras de ouro sobre ricas telas. As letras eram bordadas por hábeis calígrafos e as telas, com os versos, eram colocadas no templo da Caaba. Essas telas eram chamadas **moalakat**, isto é, **expostas no alto**. Vários poetas, do V e do VI séculos, foram consagrados por suas **moalakats**.

Moharrã — 9,1.

Mogreb — prece da tarde.

Mutavif — Guia dos peregrinos que desejam visitar os lugares santos. O **mutavif** deve conhecer todas as orações e estar bem informado sobre os deveres dos fiéis.

N

Nazareno — 10, 9.

P

Parasanga — 13, 3 (M. D.).

Pérola do Islã — Denominação poética dada à Cidade de Meca.

Poleá — 16, 10.

Preces — A religião muçulmana impõe a prece como um dos cinco deveres básicos. O árabe é obrigado a fazer, durante o dia, cinco preces. Convém não esquecer que o dia, para o árabe, começa ao pôr do sol (a noite do dia 9, por exemplo, é a que segue ao dia 8). As orações são, pois, as seguintes: **Icha** ou **axá** — deve ser feita duas horas depois do pôr do sol, ou mesmo (a rigor) a qualquer hora da noite, durante o período em que o sol está oculto. **Sobh** — deve ser feita ao nascer do sol. É a prece da madrugada. **Zohor** ou **Dôlur** é a prece do meio-dia. **Asr** ou **Asser** deve ser feita entre 3 e 5 horas da tarde. A hora dessa prece é fixada conforme o clima da região, ou a estação do ano. **Mogreb** deve ser feita ao pôr do sol. É a prece do crepúsculo. Cada prece é dedicada a uma figura de relevo para a vida do Islã e cujos nomes aparecem no Alcorão. Essas figuras são: Adão, Abraão, Jonas, Moisés e Jesus.

Profeta — O mesmo que Maomé. São correntes as expressões: Pelo túmulo do Profeta; Pela glória do Profeta; Pelos méritos do Profeta; Pelo nome do Profeta, etc., de que se utiliza o muçulmano ortodoxo para afirmar a sua certeza sobre um acontecimento qualquer, exaltar a sua admiração ou exprimir um pensamento.

Q

Qua Hyat En-Nebi — Pela vida do Profeta! Exclamação do árabe ortodoxo. Só pode ser proferida por um crente.

Quichatrias — 16, 1.

Quife — 7, 2.

R

Radj — 16, 2.

Ramadã — O nome do nono mês do calendário lunar. Mês da Quaresma muçulmana. Os árabes, durante o dia, guardam absoluto jejum.

Rati — Pequena semente que servia, na Índia, como unidade de peso, para joalheiros e mercadores de ouro. Afirmavam os entendidos que todas as sementes eram rigorosamente iguais (em peso). Era de largo emprego na fabricação de rosários.

Rei dos Árabes — 13, 1.

S

Salã — Quer dizer paz. Expressão de que se servem os árabes em suas saudações. Quando um maometano encontra outro, saúda-o nos seguintes termos: Salã **aleikum** (A paz de Deus esteja contigo). E, proferidas tais palavras, leva a mão direita à altura do coração. A resposta é: **Aleikum essalã** (Seja contigo a paz!). Da saudação árabe originou-se o termo **salamaleque**, introduzido em nosso idioma.

Samir — Significa: amigo. Há o feminino **Samira**.

Sejid — 13, 5.

Serendibe — 19, 1.

Sidi — Homem digno de respeito. Senhor.

Sifr — 20, 6.
Sippar — 4, 1.
Sobh — 18, 1.
Sudra — 16, 1.
Sufita — 10, 3.
Sunita — 8, 4.
Suque — 7, 1.

T

Tabessã — Pequenina.
Telassim — Talismã.
Timão — 5, 2.

U

Uallah — Por Deus!
Ulemá — Sábio. Doutor.

V

Vairkas — 16, 1.
Vedas — 16, 3.
Vichnu — 16, 6.
Vigário de Alá — 13, 1.
Vizir — 4, 4.

X

Xeque — Chefe; homem rico ou idoso, pessoa de prestígio. Chefe de uma tribo. No Líbano e na Síria (antes da guerra) era o título concedido aos que não pagavam impostos.

Xeque do Islã — 13, 1.

Xeque el-Medah — 17, 3.

Xerife — Nobre: título dos governadores de Meca; título dado aos descendentes de Ali Ibn Táleb, o quarto califa do Islã. Veja: 13, 5.

Índice

de autores, personagens históricos, matemáticos etc.

O número, entre parênteses, no final do verbete, indica o capítulo em que o autor ou personagem é citado. Só são dadas indicações sucintas sobre autores orientais.

A

Abla — Tornou-se famosa na Literatura Árabe por ter sido a apaixonada do poeta Antar (11).

Abul-Hassã Ali (1200-1280) — Natural de Alcalá, a Real, na Espanha. As suas obras mais notáveis são literárias. Alguns historiadores asseguram que esse erudito muçulmano morreu em 1274. Era apontado como astrólogo (28).

Al-Motacém — O califa citado neste livro subiu ao trono de Bagdá no ano 1242, que corresponde ao ano 640 da Hégira. Era um soberano bondoso e simples. Governou durante dezesseis anos, isto é, até a invasão dos mongóis em 1258. A sua morte ocorreu precisamente no dia 10 de fevereiro de 1258. Al-Motacém pereceu aos quarenta anos de idade. Cf. Noel des Verges. *Arabie*, pág. 467 e s.s.

Antar — Poeta e guerreiro árabe, autor de uma Moalakat de rara inspiração. Era negro, filho de uma escrava abissínia. O seu amor por Abla (sua prima) inspirou poemas de extraordinária beleza, verdadeiro tesouro da Literatura Árabe. Viveu no século VI e seu nome completo era Ibn Shaddad Antar.

Aria Bata — Astrônomo e matemático hindu. Alguns historiadores exaltam o nome de Aria Bata (ou Arybatta) como o primeiro algebrista de certo vulto nos domínios das ciências abstratas. Na sua atividade de astrônomo elucidou a causa do movimento de rotação da Terra. Morreu no século VI e deixou várias obras.

Al-Kharismi — Ver no Apêndice.

Apostama — Matemático hindu. Não se conhece, com precisão, a época em que viveu. Possivelmente no século IV. É citado por A. F. Vasconcelos em sua *História da Matemática* (18).

Arquimedes — (2, 14 e 17).

Aristóteles — (18).

Asad-Abu-Carib — Rei do Iêmen, filho de Colaicard. Subiu ao trono por volta do ano 160. Pereceu assassinado por conspiradores (11).

B

Bháskara — Famoso geômetra hindu. Floresceu no século XII. A sua obra mais conhecida é *Lilaváti* (18).

C

Campos (Humberto de) — (10).

Cícero — (29).

Condorcet — (24).

Corneille — (21).

D

Diofante — (24).

E

Eratóstenes — (27).

Euclides — (19).

G

Gibran Khalil Gibran — Poeta e filósofo libanês (1883-1931).

H

Hierão — (24).

Hipátia — (9).

Houlagou — Príncipe mongol (1217-1265), filho de Touly, e neto de Gêngis Khan. Homem bárbaro, sanguinário e de torpes sentimentos. Arrasou Bagdá.

K

Khayyám — Famoso geômetra, astrônomo e filósofo. Foi também poeta notável. O seu nome completo era o seguinte: Omar Ibrahim al Khayyám Gitat-ad-Din Abu'l Falh. Nasceu em 1048 e faleceu em 1123. Al-Khayyám significa: o fabricante de tendas (20, 32).

L

Labid — Famoso poeta árabe contemporâneo de Maomé. As suas obras foram traduzidas para o francês pelo orientalista S. de Sacy. Conta-se que Labid, já bastante idoso, ao ouvir o Profeta declamar um trecho do Alcorão ficou profundamente emocionado. Abandonou a Poesia e dedicou-se exclusivamente à Religião. Faleceu no ano 662. O seu nome completo era Rabia Abul Akil Labid (13).

Lacerda — (Nair) — (34).
Lamartine — (32).

M

Maçudi — Grande historiador e geógrafo árabe. Nasceu em Bagdá e era descendente de um dos companheiros de Maomé. Eis o seu nome na íntegra: Abul Hassã Ali Ben Al Husain al Maçudi. Deixou muitas obras notáveis. As mais interessantes já foram traduzidas. Faleceu no ano 936 com setenta e dois anos (30).
Mohalhil — (13).
Maomé — Melhor seria *Mohammed,* ou ainda Mafoma. Fundador do Islamismo. Um dos grandes vultos da Humanidade. Pertencente a um ramo da família coraixita, encarregado da guarda e administração da Caaba, nasceu Mafoma em Meca, em 571, e ali morreu em 632.
Murad — (Anis) — (7).

O

Otmã — O terceiro dos califas, genro de Maomé. Foi um dos vultos mais notáveis na História do Islã. Faleceu no ano 656. Foi assassinado por inimigos que conspiravam contra o seu governo (15).

P

Pitágoras — (18, 21).
Platão — (8).

R

Rhazes — Médico árabe de extraordinário renome (865-925). Exerceu a clínica no Hospital de Bagdá e chegou a ter muitos discípulos. Era apelidado *O Observador* (21).

S

Salomão — A morte de Salomão é descrita pelo Sr. Mussa Kuraiem, em seu livro, *Os Califas de Bagdá*, S. Paulo, 1942, pág. 235. Vamos transcrever o trecho que nos parece de interesse para o leitor: "A morte surpreendeu-o de pé, apoiado em seu bastão. À serena fisionomia do profeta quando o cajado lhe escapou e o corpo, perdido o apoio, desaprumando-se, caiu ao solo, compreenderam os grandes da corte que o profeta havia morrido. Sete anos e sete meses depois, morria Belkiss, por sua vez. Seu corpo foi transportado para Tadmor (Palmira), e sepultado em lugar que permaneceu ignorado até o dia em que uma torrente de chuva, caída sobre a cidade, pôs a descoberto um ataúde de pedra amarela como açafrão, sobre o qual se via a inscrição seguinte: 'Aqui repousa a virtuosa Belkiss, esposa de Suleimán Ben David.' Abraçou a verdadeira fé no vigésimo ano do reinado desse profeta, que a havia tomado por esposa, no décimo dia do mês de Moharã (primeiro mês do ano Rabih) (terceiro mês do ano), vinte e sete anos depois que Suleimán havia subido ao trono. Ela foi sepultada de noite, sob os muros de Tadmor, e só aqueles que a sepultaram sabem o lugar dos seus restos mortais." (10).

Silva (Domingos Carvalho da) — (34).

Soares (Fernandes) — (24).

Souza (João Baptista de Mello e) — (32).

Souza (Octavio Tarquinio de) — (20).

Staël (Madame de) — (21).

T

Tarafa — Poeta árabe do século IV. Teve vários dos seus poemas traduzidos para o francês, para o italiano e para o alemão. Chamava-se Ibn Al-Abd al Bakki Tarafa. Foi o maior dos poetas anti-islâmicos. Viveu no século V.

Tagore — Poeta indiano (1861-1941). Nasceu em Calcutá e foi autor de poemas notáveis da mais alta inspiração mística. O seu livro *Lua Crescente* inspirou, no Brasil, dezenas de imitadores. O seu nome completo é Rabindranath Tagore (14, 15, 20, 25, 33 e 34).

Tigre (Bastos) — (24).

Bibliografia

Para a elaboração do Glossário, das Notas e do Índice de autores, foram consultadas muitas obras. Limitamo-nos a apontar, apenas, as seguintes:

ADOLFO FREDERICO SCHACK — *Poesía y Arte de Los Árabes en España y Sicilia*, Paris, 1955.

Encyclopédie de l'Islam — Paris, 1913.

F. DUMAS (General) — *Le Grand Desert* — Paris, 1886.

FELIX M. PAREJA — *Islamologia*, Madri, 1954, dois volumes.

FRANÇOIS BALSAN — *A travers l'Arabie Inconnue*, Paris, 1954.

GUSTAVE LE BON — *La Civilisation des Arabes*, Paris, 1884.

JACQUES C. RISLER — *La Civilisation Arabe*, Paris, 1955.

JAMIL SAFADY — *Língua Árabe*, São Paulo, 1950.

LOUIS-CHARLES WATELIN — *La Perse Immobile*, Paris, 1921.

M. NOEL DES VERGES — *Arabie*, Paris, 1847.

MUSA KURAYEM — *Os Califas de Bagdá*, São Paulo, 1942.

PHILIP K. HITTE — *Os Árabes*, S. Paulo, 1948.

RAGY BASILE — *Vocábulos Portugueses Derivados do Árabe*, Rio, 1942.

R. H. KIERMAN — *L'Exploration de l'Arabie*, Paris, 1938.

RICHARD RINELEY — *Star Names*, ed. de 1963.

R. V. C. BODLEY — *El Mensajero* (La Vida de Mahoma), Buenos Aires, 1949.

SEBASTIÃO DALGADO (Monsenhor) — *Glossário Luso-Asiático*, Coimbra, 1921, dois volumes.

Sobre o autor

Júlio César de Mello e Souza nasceu em 1895, no Rio de Janeiro, filho de um funcionário público e de uma professora, pais de mais oito filhos. Quando menino, estudou no Colégio Militar do Rio de Janeiro e no Colégio Pedro II. Apesar de ter sido mau aluno na disciplina, formou-se professor de matemática e engenheiro, vindo a lecionar em diversos estabelecimentos de ensino, como o próprio Colégio Pedro II, a Escola Normal e a Universidade Federal do Rio de Janeiro.

Apesar de ter tido experiências juvenis como escritor — sua primeira obra literária, aos 12 anos, foi a *Revista ERRE!*, com histórias organizados em um caderno de folhas costuradas à mão e escrito com caneta tinteiro, onde exercia as funções de diretor, redator e ilustrador —, o início de sua carreira literária teria sido no jornal *O Imparcial*, onde assinou contos com um pseudônimo, criado após perceber a indiferença do editor diante dos textos assinados em seu próprio nome. Reapresentou os contos assinados pelo "importante autor americano" R.V. Slady, e o editor, vislumbrando sucesso de vendas, publicou-os no jornal.

A partir dessa ideia, criou a mistificação literária Ali Yezzid Izz-edin Ibn-Salin Malba Tahan, ou simplesmente Malba Tahan. Estudou a língua e a cultura árabes para garantir autenticidade em estilo, linguagem e ambientação. Propôs ao jornalista Irineu Marinho, à época diretor do periódico *A Noite*, a ideia de publicar contos orientais e educativos, sob sigilo da real identidade de seu autor, jamais revelada por Mello e Souza e Marinho. Em 1924, a publicação do conto "O Juiz" na primeira página do periódico *A Noite* deu início ao personagem Malba Tahan no imaginário brasileiro, seguindo-se a publicação de *Contos de Malba Tahan* em 1925. Na segunda edição desta obra, foi incluída na biografia do autor a ilustração do árabe de turbante e barbas longas. A partir da edição de *O homem que calculava*, em 1937, para completar a mistificação literária, criou-se a figura de Breno Alencar Bianco — o tradutor das obras, visto que Malba Tahan supostamente escrevia em árabe.

A biografia imaginária do escritor Malba Tahan tem início em 6 de maio de 1885, em Muzalit, na Península Arábica, próximo à cidade de Meca, sagrada para os muçulmanos. Ele teria estudado no Egito e na Turquia, e, ao receber uma herança generosa após a morte do pai, decidiu viajar pelo mundo, visitando a China, o Japão, a Rússia e grande parte da Europa. Porém, em 1921, já de volta à Arábia Central, teria sido morto ao se engajar na luta pela liberdade do povo da região.

Mello e Souza foi precursor de uma nova forma de ensinar a matemática, e seu mais destacado popularizador. Opunha-se ao chamado "algebrismo" dos professores de matemática de seu tempo, que dificultavam o ensino da disciplina com problemas fora da realidade, complicados, enfadonhos e sem finalidade prática. Publicou diversos livros que propunham tornar a matemática acessível a todos, como *Matemática divertida e curiosa* e *O homem que calculava*. Em livros de divulgação científica, recomendava recreações e jogos em sala de aula, incluindo a narração de histórias e a apresentação de problemas interessantes para atrair o aluno. Suas concepções de ensino passaram a integrar, anos depois, os parâmetros curriculares nacionais definidos pelo Ministério da Educação.

Júlio Cesar de Mello e Souza faleceu aos 79 anos no dia 18 de junho de 1974, em Recife, onde, a convite da Secretaria de Educação e Cultura, ministrava cursos para professores. Em 2013, o governo brasileiro instituiu o Dia Nacional da Matemática na data de seu nascimento, como homenagem à memória do escritor e professor e de sua contribuição à educação matemática no país.

Este livro foi composto na tipografia
Warnock Pro e Le Murmure, e impresso
em papel Pólen Soft 80 g/m²
na Geográfica.